プワゾン

藤堂志津子

幻冬舎文庫

目次

プワゾン

冷たい女

いないとうつる。

川添涼子《かわぞえりょうこ》は美しかった。少くとも戸村広司《とむらこうじ》の目には、これ以上自分の好みにあった美女は
冴《さ》えざえとした肌の白さは、単に色白というだけでなく、思わず噛《か》みつきたくなる妖《あや》しい艶《つや》をおびて、広司の視線をとらえてはなさない。切れ長の目は、目尻がほんの心持ち上っていて、それが凛《りん》とした気品をたたえている。唇はやや薄く、けれどゆるりとほほえむと、形良く整ったその輪郭《りんかく》の内側から、予想外の柔らかな厚味があふれでて、ここでも広司の欲望を刺激する。けれど涼子はめったに笑わない。

涼子の体型も広司には申し分がなかった。すらりとした細身の、特に首の線が際立《きわだ》ってなまめかしい。バストもヒップもこぶりで、その裸身を想像しただけで、広司は頭の中が燃えさかってくる。

広司は、どうあっても涼子を失いたくなかった。彼女のほかに、これほどまで自分を夢中にさせる女性がいるとは考えられない。広司は三十一歳である。二十七歳の涼子との結婚を真剣に望んでいた。けれど交際しはじめてから約半年、ふたりの関係は、いっこうに進展し

なかった。

十一月末のその夜、レストランで食後のコーヒーを飲みながら、広司は思いきってたずねた。生殺しのようなこの状態が、広司には耐えられない息苦しさになってきていたのである。

「きみはぼくのこと、どう思っているのかな」

さり気なさを装《よそお》っていながら、広司の心の中では期待とあきらめが交互にうねりつづける。あきらめの色あいのほうが強かった。広司は自分の容貌に自信がない。背丈にしても涼子とほぼ同じである。

「どう思うって言われても……」

涼子は窓の外へ切れ長の目をむける。抑揚《よくよう》のない、気だるい口調だった。そして、そのまま口をつぐんでしまう。無口な女でもあった。そこもまた広司には好ましい。

広司は自分でも思いがけない言葉を言っていた。イチかバチかの、どこかヤケになった気分がこみあげてきた。

「ぼくはパッとしないこんな男だけれど、きみのことは一生大切にするよ。……つまり、結婚したいんだ……」

「結婚？」

涼子が広司を見返した。唇には淡い笑《え》みを漂わせている。嘲笑《ちようしよう》のようにも感じられ、広司は屈辱感《くつじょくかん》に頭が熱くなってくる。

「もちろん、きみのようなひとのまわりには男たちがたくさんいると思う。わかっている。わかっているけれど、ぼくとの結婚、考えてみてほしい」

「たくさんの男のひとなんていないわ」

「本当？」

「ええ。ただ……」

「ただ？」

「私、ある男から逃げだせないの。その男、ヤクザの組員で、これまでにも私にプロポーズした男性は、みんなそれを聞いておじけづいたわ」

ヤクザの女だったのか、広司にしても背筋がうす寒くなる。

「逃げたいのよね、私。でもその男、手切れ金を要求してきて、とても私には払えない金額……そうたちの悪い男ではないけれど……」

「それ、いくらぐらいなの」

広司の胸に炎がともった。

「そうねえ、そのつど言うことが変って。とにかく普通のＯＬである私には大金であるのは確かだけれど」

「彼と話してみてくれないか。ぼくがどうにかできるものなら——」

「できるの？」

涼子が真顔で広司を見つめた。広司もたじろがずに、その視線を受けとめる。

彼女を失いたくなかった。そんな男に縛《しば》られている彼女がかわいそうでたまらなかった。

十二月の冬のボーナスのほとんどを、広司は涼子に渡した。一月の給料の半分も涼子のために消えた。涼子の相手の男が言ってきた金額は、広司の貯金をすべてはたき、生命保険を解約し、むこう半年間、月々支払い、さらに夏のボーナスを加えて、ようやく間《ま》に合う額だった。

広司と男のあいだに契約書がかわされた。涼子が持ってきたのである。広司の生活は極端に切りつめられたけれど、金が惜《お》しいとは思わなかった。半年たったなら、涼子は自由な身になる。そのときこそ、彼女と結婚できる。支払い金に追われる広司には涼子とのデート代もままならなかった。レストランでの食事がラーメン屋やおでん屋でのそれに変らざるをえない。けれど涼子は、その原因が自分にあるという気持からか、不満めいた言葉はひと言も口にしなかった。そんな涼子に、広司はいっそういじらしさがつのる。愛情が手応《てごた》えのある確かさを深めてゆく。

広司にとっては長い半年が終った。六月のボーナスを涼子に渡した数日後、街中《まちなか》の喫茶店で、広司はふたたび結婚をきりだした。

涼子は透明感のある色白な顔をほころばせ、こともなげに言い放った。

「あら、そんな約束したおぼえはないわ。あなたが勝手にしてくれただけのこと」

広司はかっとした。

「しかし、あれは当然結婚を前提にしてのことじゃないか。そうでなければ、何もあんなつらい思いまでして――」

言いかけて、途中でやめた。涼子の言う通りだった。約束をしたわけではなく、自分が気負い立って、まさしく勝手にやったこと、そうしか言いようがない。広司は、伝票を手に立ちあがった。虚《むな》しさと哀《かな》しさのあまり、どんな言葉もでてこない。また、フラれたか……自分で自分を嗤《わら》う。しかし今回は見事なフラれ方で、いっそ小気味《こきみ》よいではないか。

喫茶店をあとにして、あてどもなく街を歩きはじめた広司のうしろから声がした。

「戸村さん、広司さん」

振り返ると涼子がほほえみながら立っていた。

「せめて私にお食事でもご馳走《ちそう》させて」

涼子に対する怒りが、はじめて広司の全身に吹きあがってきた。よくもそんな言葉が、よくもそんな屈託《くったく》のない笑顔で――そのとたん広司はそこが街中の路上なのも忘れて怒鳴っていた。

「バカヤロー。フラれた直後にめしをおごってもらうほど、俺は、男をさげちゃいないよ」

涼子のほほえみは、さらに広がってゆく。しかもその目には、広司がこれまで見たこともないうるんだ光が宿っていた。

涼子が近づいてきて、広司の腕に両腕をからめた。

「結婚式はいつにしましょうか」

「もう俺をからかわないでくれ」

広司は邪険《じゃけん》に言い捨てる。

「ごめんなさい。何もかも嘘《うそ》なの。あなたからいただいたお金は、あなたの名義で貯金してあるわ。ヤクザの男なんて、いないのよ」

広司は立ちどまった。

「今なんて言った？」

「ごめんなさい、全部でたらめ。あなたを試《ため》したりして、許して。私、男のひとが信じられなかった。うんと若い頃の失恋の後遺症ね。たいがいの男のひとは、私にヤクザがついていると聞いただけで逃げだした。あなただけよ、逃げなかったのは。しかも、この半年間のお金のことでも、怨《うら》みっぽいことはひとつも言わなかった。ようやく信じられる男のひとがあらわれた。怒ってる？　本当にごめんなさい」

「きみは……」

言葉につまった。ようやく言えた。

「きみは冷たい女だ。この半年間、俺は――」

涼子を哀しませる夫にだけはなるまいと心に誓った。

海辺の貴婦人

小樽の夏の海は、いつきても素晴しかった。

特にこの週末は、これまででいちばん天候にめぐまれてもいた。

空の青さと光の強さの度合いがきっちりと比例して、ほころびのない夏の空間を作りあげ、頬《ほお》をかすめてゆく潮風も快い微風だった。

海水浴客でにぎわう砂浜に、紀昭《のりあき》はビニールシートをひろげ、陽《ひ》よけ用の大きなパラソルをしっかりと固定させると、もう私のことは念頭にないすばやさで洋服を脱ぎはじめた。その下には、すでに黒い海水パンツをはいていた。

紀昭が波打ち際《ぎわ》にむかって行ったあと、私は彼の白いポロシャツとジーンズを折りたたみ、籐《とう》のバスケットから取りだしたスカーフでつつみこむ。微風にふくまれている砂と潮のねばりを、そうやって少しでも防ごうとする。

私は海が好きだった。

夏になってから、週末ごとに彼に海につれてきてもらい、これで今年の夏は何回目になるのだろう。先週は紀昭の仕事の都合でこれなかった。その前の週は石狩の海にでかけた。

だが私は泳げない。

海を眺《なが》めるのは大好きだけれど、海の中に入るのは怖《おそ》ろしい。子供の頃からそうで、当時は海を見ると、その巨大な青さとうねりに全身がふるえたものだった。

二十歳をすぎてからは、そんな過敏さもいつとはなく薄れ、むしろ海が好きになってきた。それでも、二十七歳になった今も、泳ぎはできない。プールでも無理だった。

そのうえ、私は直射日光に弱い。長い時間、屋外の陽を浴びていると、必ず湿疹《しっしん》ができ、かゆみを生じ、病院通いをしなくてはならなくなる。

だから、ビニールシートの上にすわっている私の恰好《かっこう》は、素裸に近い姿でいる多勢のひとびとの中にいて、かなり目立つものらしい。不思議そうな、もしくはとがめるような、ときには嘲笑《ちょうしょう》めいたひとびとの視線がむけられる。

その日の服装は白ずくめだった。

フレアーのたっぷりとした透明感のあるシルクのスカートに、同じ素材の長袖のブラウス、ブラウスの襟《えり》は柔らかくこまかいひだでできたタートルネックで顎《あご》の真下までくる長さ。ウエーブのかかった長い髪は、やはり白の大判のスカーフできっちりとつつみ、スカーフの端は、首のところで結んでいる。さらにその上に、白のつば広の帽子をかむって、陽差しを少しでもさえぎるために、念には念を入れていた。

もちろん素顔ではない。陽焼け防止クリームを下地に使い、ふだんよりやや濃い目にファンデーションを塗っている。口紅は真紅《しんく》、これはその色はともかくも、唇もむきだしのままでは、夏の光に負けてしまうからだった。最後の仕上げに、大きな黒のサングラスも欠かせない。

最初、紀昭は私のこの服装を見て、驚きをかくそうとはしなかった。海に行きたい、そう言いだしたのは私からであり、それは当然、夏の暑さを満喫するスタイルであらわれると考えていたらしい。

彼のびっくりした表情に、私は精一杯いたずらっぽく笑いかけた。

「あなたは、もう何年も夏の私を知らないから」

彼も苦笑を返してきた。

「そう。今年の夏の俺《おれ》は不作だからな」

紀昭とは十代の後半からのつきあいだった。

札幌の歓楽街・ススキノのはずれに小さなクラブがあって、高校生や大学生のたまり場になっていた。暗黙の会員制のような店で、初見《しょけん》の客はまず入れてもらえなかった。常連と同伴することによって、はじめてその店の客として認知されるようになる。紀昭と私はそこで知りあった。おたがいにまだ十七歳で、親からこづかいをせしめては、その店に通っていた。

現在もまだ私は親のスネかじりをつづけている。

店のマスターはきびしかった。いかがわしい言動をとったり、薬物を愛好する若者は、彼独得の嗅覚《きゅうかく》ですぐにそれと見破り、店には一歩も入れなかった。人間関係のルールやマナーを身につけて育った若者だけを相手にした。

その頃から紀昭は女には不自由しなかった。特に夏になると、彼には必ず恋人があらわれた。春・秋・冬の季節にも、親しく行動をともにする女友だちはいたけれど、夏の恋人は、彼にとって心から恋人と言いきれる相手のようだった。夏の恋人を見るまなざしが、あきらかに違っていた。彼の目は冷静さを失い、ひどく嫉妬《しっと》深《ぶか》くなる。

この夏、例年になく紀昭には恋人がいなかった。そのことを仲間から聞いた私は電話をしてみた。海に行きたいのだとせがんだ。十年来の友だちとしての気やすさからで、他意はなかった。

私は三年前に妻子ある男性との恋愛に破れてから、男女関係には臆病になっていた。あるいは、私はいまだにその男を忘れかねているのかもしれない。

私からの電話を受けた紀昭は、翌日の土曜日、車を運転してやってきた。そして、私の白ずくめの服装を見て愕然《がくぜん》とした。その日はシルクではなく麻と綿の素材による上下で、スカートではなく、ふわりとした丈の長いキュロット・スカートだった。

びっくりしながらも、それを口にだしてあからさまに言うような男ではなかった。

紀昭は、その日は積丹《しゃこたん》の海につれて行ってくれた。やはり海水浴客でにぎわっている砂浜だった。

私は彼が持参してきたビニールシートにすわって海を眺め、彼は勝手に海にもぐりこんでは、休憩をしにもどってくることをくり返した。陽差しが弱まり、彼は最後のひと泳ぎをしに海に入り、やがて濡《ぬ》れそぼった体でゆっくりと私のほうへ帰ってきた。満足そうなほほえみが彼の口もとに漂っていた。

「こういう光景もなかなかいい」

紀昭は、私の数歩前で立ちどまり、サングラスをした私を見おろした。

「夏の海にきて、けっして肌を見せずに、ひたすら海を眺めている女。そういう女に待たれている気分も悪くない」

それから私たちは、彼のやむをえない仕事上の事情や雨天でないかぎり、週末ごとに海にきている。

日暮になると、まっすぐ札幌に帰る。

紀昭に夕食を誘われた日もあるけれど、私はそのまま自宅まで送ってくれるよう言葉少なに頼んだ。

私はおしゃべりが苦手だった。そのことに劣等感もいだいていた。

妻子ある男性との恋愛がうまくゆかなかった原因のひとつには、自分の無口さ、ひいてはつまらなさがあるような気がしてならなかった。私は彼に捨てられた。卑下《ひげ》するのではなく、そのように認めていた。

女友だちは、私の極端な無口さは、家族に可愛がられすぎたからだと、からかいまじりに指摘した。いちいち言葉にださなくとも、望むこと、欲するものを、親も兄も祖父母もすばやく察して与えてくれるからだと。自分を主張するまでもなく、溺愛《できあい》されている娘は、ただ黙って目線をしかるべき対象にむければいい。それですべてが了解される。

女友だちの解釈は、ある程度まで正しかった。私は物心ついてから、自分の欲求を口にした記憶はほとんどない。それでいて、つねに与えられてきた。

しかし、私は友だちにめぐまれていた。私の寡黙《かもく》さを退屈とは感じないひとびとが、しぜんと集まってくる。彼女やかれらは、私の口かずの少なさを、途方にくれている、と見なすようだった。私の、まばたきの少ない、相手をじっと見つめる癖も、いっそうそう思わせるらしい。

仲間うちでは好意的に受けとめられる無口さも、男性とふたりきりの場合では、息苦しさになってしまう。私自身がまっ先にそう感じてくる。

だが一体何をしゃべればいいのだろう。言葉が見つからない。話題を探そうとあせっても、何が相手を楽しませるのか、判断に迷い、迷ううちに腋《わき》の下が汗ばんでくる。緊張のあまり、ますます言葉が見失われてゆく。

もしかすると、そのために私は海が好きなのかもしれない。

夏の海はおしゃべりだった。

空に呼応する光の照り返しの強弱、海の色の濃淡、そしてもっとも饒舌《じょうぜつ》なのは波の形で、ひとつとして同じ形のない波は、それだけで十分におしゃべりしてくれる。

紀昭は私の無口さを知っていた。仲間のひとりとして、昔から承知ずみだった。

そして無口すぎる女は、彼の好みではない。彼は快活に大声で笑う女性を、特に夏の恋人としてきた。

今年の夏、どういうわけか彼には恋人がいなかった。

「面倒くさくなったんだ」

これは本心かもしれない。紀昭は遊びすぎた。複数の女とかかわっていた夏もあった。

紀昭が海からでてきた。

サングラスを通しても、こまかくきらめく海のたぎりを背景に、その身体はたくましく、引きしまった美しさだった。まわりの若い女たちの視線が、彼の肉体に吸い寄せられてゆく。彼はたじろがない。見られることに馴《な》れている。

ビニールシートに腹這《はらば》いになった彼の背中を、私はバスタオルでふいてやる。

彼は気持よさそうに目をつむる。まどろみながら、つぶやく。

「きみは手のかからない女性だな。それと、自分でわかっていないと思うけれど、きみのそのスタイル、まるで海辺の貴婦人の風情《ふぜい》だ。実際は陽差しアレルギーにしても、いともシックな貴婦人に見える」

紀昭は、砂浜で何時間もただひたすら海を眺めている私から、どんな想像力を刺激されたのだろうか。

はじめ私はそれに気づかなかった。

小樽の海をあとにし、しばらく黙って車を運転していた彼は、ふいにひとりごとのように言った。

「妙に疲れた。眠い。ちょっと休んでいこう」

私の返事を待たずに、車を左折させ、すぐさまたどり着いたのは一軒のモーテルだった。

以前からよく知っていたとしか考えられない手際《てぎわ》のよい運転ぶりで、しかし、私は日頃の彼の言動をつぶさに見てきているため、警戒心はいだかなかった。

彼は遊び人だけれど、好みのタイプの女は一貫していて、それは見事なくらい守り通されていた。好みのタイプでない女が、いくら誘っても、たとえ彼の目の前で素裸になろうとも手はださない。事実、そこまでやって、恥をかいて終った女性の話もある。

彼が仲間のあいだで、遊びすぎると眉をひそめられながらも、つまはじきされずにきたのはこの点だった。どうあっても引かない潔癖《けっぺき》さ、私たちの仲間に求められ、共有している唯一のルールだろう。といっても、好みの女のタイプを守り抜くのが潔癖として見なされるぐらいなのだから、世間一般の清潔なそれとは、かなりニュアンスがズレている。

私は紀昭の好みのタイプではなかった。

だからモーテルに立ち寄る理由を疑いもせず、彼が疲れたと言うのを信じきっていた。

車から降り、やたらとけばけばしい造りの部屋に入ってからも、私は落ち着いたものだった。籐のバスケットには、読みかけの本も持っている。彼が眠ってるあいだ、それを開いたり、シャワーを浴びたりするつもりだった。

私は大きなダブルベッドのわきに置かれた椅子に腰かけ、帽子とサングラス、そして頭を巻いていたスカーフを取りのぞく。

紀昭は居心地が悪そうに室内をうろつきつづける。早くベッドに横になればいいのに、私はそう思いながら、バスケットからミニ・ブラシを取りだして、髪をとかしはじめた。しばらく丹念に髪にブラシを当て、それがすむと次に本を膝《ひざ》の上に置いた。

そうした私の一部始終を眺めていた紀昭は、いつになく思いつめた、それでいて所々に苛《いら》立《だ》ちを棘《とげ》のようにちりばめた声音《こわね》で言った。いつのまにかベッドの端に腰を降ろし、私のほうに正面をむいていた。

「あらためてきくけど、きみは処女《バージン》じゃなかったよな」

私と妻子ある男性との関係は仲間全員が知っていた。紀昭の耳にも入っているはずだ。

「いや、俺は何が言いたいのだろう。へんにあがっている。ごめん。そんなことを言おうとしているのじゃないんだ」

彼はふたたびベッドからはなれた。バスルームへ歩いてゆく。が、途中で足をとめ、両手をズボンのポケットに入れたまま、首をそらせる。宙を見あげ、深々とため息をつく。

「怒らないでくれ。いや、その前に笑わないでほしい」

私は彼の背中を見つめた。先刻、バスタオルでしずくをふき取ってやった肩幅の広いそれが、白いポロシャツの下で大きく上下していた。

「きみとは十年来の仲間だ。ずっと友だちとしてつきあってきた……それなのにだ、信じられるか？　俺はきみに惚《ほ》れてしまったみたいなんだ。ばかげた話だ」

そう、ばかげている、私は胸の中で答えた。

彼の好みのタイプではないことは、自分がだれよりも知っていた。快活さからは程遠《ほどとお》い無口な女であり、大声で笑うことなどめったにない、どこかうつろに沈んだ女だった。

「俺は今朝からどうかしていた。きみをこんな場所につれこんで。ただ、これだけは信じてくれ。きみの魅力に長いあいだ気づかなかった」

「私の魅力？　私に魅力なんてあるのかしら」

本心だった。ろくに会話もできない女のどこにそんなものがあるのだろう。

「ここしばらく、きみとは週末ごとに会っている。会わないでいる一週間、俺はきみの、あの砂浜で白い服を着て海を見つめている姿ばかりを思いだしつづけている。頭からはなれない」

うれしかった。

男からこういう言葉を聞くのは、これで二回目であり、妻子持ちの男と別れたあと、もう二度と言われることはないだろうとあきらめきっていた。私は自分に自信がなかった。遠慮がちに念を押してみた。

「私はあなたのタイプの女じゃないわ」

「そう、まさしくその通りだ。俺自身、訳がわからない」

「じゃあ、なぜ……」

「俺にたずねないでくれ。惚れてしまったことに理由なんてない」

紀昭が、そこでようやく振り返った。その目は欲望をたぎらせていた。

男から求められる快感が私の全身を熱くさせた。充実感があった。私に欠けているもの、そして私自身ではけっして満たしようもないもの、それを埋めつくしてくれるのは、男からのこのまなざし以外にはない。

ぎらついた欲情は端的に私の空洞に流れ入ってくる。言葉には無器用な私にとって、むきだしの、肉体のあからさまな表現のほうが、よりなめらかにゆくコミュニケーションだった。

私は目から力を抜いた。伏目がちになった。OKの合図を、そのようにして彼に伝えた。

週末ごとに海へ行き、帰りはモーテルに寄るのが、夏のあいだつづいた。

紀昭は、自分はもともとノーマルな男だ、という言葉をくり返し私に言い聞かせた。私はいつも黙ってうなずいた。

けれど、私は、私たちの性愛が特殊なもののように思われて仕方がなかった。

少なくとも妻子ある男性とかわしたそれとはかなり異なっていた。

紀昭と私は一度としておたがいの体を結合させることはなかった。

モーテルの部屋の中でも、私は海辺と同じ恰好でいてほしいと頼まれた。帽子、スカーフ、サングラスはもとより、スカートを脱ぐのも、上着から解放されるのも、彼は望まなかった。

私は海を眺めているのと同じ姿勢で、パンティとストッキングだけ取り払っただけで、彼からの愛撫《あいぶ》を受けた。

あるいは、私自身は何ひとつ身からはずさずに、全裸になった彼のそのすみずみまで舌を這《は》わせてくれるよう頼まれもした。

また海を見つめているときと同様に、私は身じろぎもせず、彼がペニスを握りしめ、快楽にひたりきっている様子を眺めていなくてはならなかった。

その反対の行為を求められたりもした。だがそれだけは拒否した。

紀昭は口癖のように言った。

「俺はどうもきみによって狂ってしまったみたいだ」

確かに彼は狂っていた。

だが私はごくはじめの一、二回をのぞいては、じきに醒《さ》めていった。

私たちの性愛はけっしてアブノーマルではないけれど、ノーマルとも言いきれない。そのあいまいさに、私の心は揺れつづけ、ひそかな疑いは、行為への没頭《ぼっとう》をさまたげた。しかし、私は演じた。熱狂と陶酔を装《よそお》った。

ときどき紀昭の身体を愛撫しながら、涙ぐんだりもした。

私は哀《かな》しく、みじめだった。

彼は無口で退屈な生身《なまみ》の私に惹《ひ》かれたのではなく「海辺の貴婦人のイメージ」に想像力をかき立てられたにすぎない。まぼろしに恋しているだけなのだ。

私たちは、ふたりだけの夏を可能なかぎり長びかせた。

九月いっぱいまで、私たちの夏はつづいた。

彼を問いただしはしなかったし、性愛への不信も口にしなかった。

秋の訪れとともに、紀昭とは別れるつもりでいた。それは簡単なことだった。

自宅にある私専用の番号にかかってきた電話には、いっさいでない。スイッチを留守番用に切り換えておく。友だちには、あとからかけ直せばよかった。

カレンダーが十月になり、夏は完璧に終了した。

紀昭から遠ざかるため、私は旅行を思い立った。なぜか今回は海外に行く気にはなれなかった。

東北をひとまわりしてから東京に入り、四国や九州にまで足をのばせば気分転換にもなるし、札幌の街からかなりの日数はなれられる。

そのあいだに私たちは夏の恋人同士から、以前と同様の仲間にもどれるに違いなかった。


年の暮れも押し迫ってから、私は札幌に帰ってきた。

縁談がふたつと、仲間からのたくさんのメッセージが待っていた。

見合いは年があらたまってからじっくりと考えてみる、そう言って逃げておき、私は毎晩のように仲間のだれかれとなく会う約束をした。会う場所はススキノの酒場や行きつけのレストランなどだったけれど、私は必ずつけたした。

「これまでとは別の店に行きましょうよ」

紀昭と顔をあわせたくなかった。行きつけの店なら、いずれ近いうちにかちあうに違いない。


その前に確かめておきたいことがあった。

約ふた月の旅行の大半を、私は海沿いの街ですごした。温暖な四国、九州、そして沖縄にまでわたり、一日のほとんどの時間は海辺にいた。

陽差しから皮膚を守るために、紀昭が称した「貴婦人」スタイルはやむをえなかったけれど、私個人のスタイルを、無口でおもしろ味に欠ける性格をどうにかして変えたかった。

はたして性格というものが、いともやすやすと根本的に変えられるのか、あるいは何らかの術を習得して、それを薄膜《うすまく》のように心のシステムにはりつけて表面的に変化したようにみせるだけにすぎないのか、正直言って自信は持てない。だが、やってみなければわからないではないか。私はくじけそうになる自分を励ましつづけた。

そのたびに紀昭のあの言葉を反芻《はんすう》した。

「きみに惚れてしまったみたいなんだ。ばかげた話だ」

ばかげた話、このフレーズを思い返すたびに胸がきしんだ。と同時に、何事にも断念癖《だんねんへき》のある私に、かろうじての意地をもたらした。

本来なら、けっして私のような女に心ときめかせない彼が、なぜかそうなってしまった夏のばかげた出来事があり、彼との奇妙な性愛に打ちのめされてしまった私が、これから試みようとしている、まさしくばかげた行為。すべてを笑いのめしたうえで、そのことを十分に自覚しながら、私は旅先の海にむかってためしてみたのだった。

光を浴びた暖かな土地の秋の海は、夏の小樽や石狩のそれと同じように、私に対してたえまなくおしゃべりしてきた。

波が小声で語りかけ、潮風が耳もとでささやき、海原《うなばら》から反射してくる透明な陽差しは、私の目にこまかな暗号や合図を送ってくる。

私も応《こた》えた。

はっきりと声にだしてしゃべってみた。

話の内容は問わなかった。ある種のひとびとが、ねばる糸のように次々と紡《つむ》ぎだす、ほとんど意味のないおしゃべり、あの行為をまねていった。

言葉に過剰な意味を持たせ、期待するがために、私は無口になってしまったのかもしれなかったし、女友だちが評したように、過保護に育ったために発語の必要もなく生活してこれたのかもしれない。どちらにしろ、無意味であり、無意味だからこそ人間関係に役立つ一面も持つ他愛《たわい》ないおしゃべりのできる女に私はなりたかった。

その練習相手に海を選んだ。

海辺にすわりこんで、ひとりごとをもらしつづける女の姿、他人から見ると、気がふれているように見えただろう。

高望みはしなかった。紀昭の好むタイプの女たちの、あの快活さのレベルに、私が到達できるには、もっとたくさんの時間と訓練と、そして大きな脱皮を必要とする。

ただ私は人並みにおしゃべりできるようになりさえすればいい。

旅先からもどり、久しぶりに会った札幌の仲間は口々に私の変りように目を見張った。

「どうしたの、そんなに明るくなって」

「きみがそんなにおしゃべりするのを、はじめて見たよ」

「旅先で恋人でもできたのじゃないの」

私は安堵《あんど》した。

海を相手におしゃべりした効果はあったらしい。

また仲間の話からすると、紀昭は、夏の私との関係は、だれにも言っていないようだった。それについては、彼を信用していた。どれだけ女たちと遊んでも、その気配を濃厚に漂わせても、具体的な事柄はぜったいに語らない。この十年間、そういう姿を見つづけてきた。

だが仲間たちは別のことで彼を心配していた。深酒をしすぎるのだという。以前は酒にのまれるような、また、それほど大量のアルコールに溺《おぼ》れる男ではなかったのに、最近の酔い方にはいささか手を焼いている――。

大晦日《おおみそか》を数日後にひかえた夜、私は仲間との忘年会パーティーにでかけた。皆のたまり場になっている店で、スナックとクラブを一緒くたにしたような、ただしカラオケはない所だった。

パーティーがはじまって三十分がたち、一時間がすぎた。紀昭はあらわれない。

私は相手を次々と変えて、おしゃべりをしていた。むこうが笑ってくれたなら、それで及第点《きゅうだいてん》をもらったような、その確認のためのおしゃべりだった。

やがて紀昭の姿が出入り口に見え、ふらつく足取りでカウンターの席に腰かけた。

私は近づいてゆく。

黙って隣の椅子につく。

「お元気でした？」

紀昭はようやく私のほうをむいた。

そのとたん彼の表情に恐怖のような色あいが走り、が、ひと呼吸あとには激しい喜びの感情におおわれた。

「今までどこにいたんだ。なぜ何も言わずに札幌からいなくなったんだ」

私はかろやかにしゃべりはじめた。二ヵ月間の旅行のあれこれを、できるだけおもしろおかしく語っていった。

彼はカウンターに両腕を乗せ、しばらく耳を傾けているようだったが、ふいに手を私の肩にかけた。強い力で引き寄せられた。

「酔っているのか」

「いいえ。素面《しらふ》よ」

「いや、酔っているんだろう。そんなにしゃべるなんて、きみらしくない」

「あなたは快活な女がお好きでしょう。無口で自分の言いなりになる女には、どんなことをしてもかまわない、そう思っているのじゃなくて？」

「きみにはすまないことをしたと反省している」

「私は変ったの。海辺の貴婦人でいることは、もうよしたわ。だから練習したのよ、おしゃべりを」

旅行先の海辺でのひとりごとを、私は、やはり、めいっぱい冗談めかし、茶化しながら打ち明けた。

しゃべりながら、急に理由もなく胸がつまってきて言葉を中断したりもしたが、軽快なおしゃべり女を最後まで演じきれた。

「俺は相当にきみを傷つけてしまった」

「謝る必要はないわ。ああいうことはおたがいさまでしょう」

私は椅子から立ちあがった。紀昭に、以前とは違う自分を知ってもらえさえすればいい。

そのきっかけは彼だったことも。

片腕をきつくつかまれた。紀昭は押しころした声で言った。

「俺の弁解を聞いてくれ。みっともない弁解を。頼む」

私は椅子にもどった。彼は私をまっすぐに見つめた。

「あの頃の俺はああいう形でしかセックスができなかった。しかも生身の女そのものではなく、貴婦人のような性に淡白そうな女でなければ、男としての機能がはたせなかったんだ」

紀昭はさらに声の調子を落とした。

季節が夏を迎える直前、彼はもめごとをようやく処理したばかりだった。

単なる遊び相手とたがいに割り切ってつきあっていた女性から妊娠したことを告げられ、結婚を迫られていた。だが彼は、彼女が複数の男とかかわりを持っているのを知っていたし、おなかの子が彼の子だという確証もなかった。

結婚はできない、紀昭は断言した。相手はわめき立てた。何日間もそうしたやりとりの挙《あげ》句《く》、女は中絶手術を承知するかわりに慰藉料《いしゃりょう》を請求してきた。紀昭にはとうてい払えない金額だった。そのうち女の要求はおどしになりはじめた。

困りはてた彼は、ついに父親に相談し、弁護士に介入してもらった。やり手の弁護士は、すぐに女の身辺を調査した。すると、予想外に激しい男関係があきらかにされていったという。

「一件落着というわけだが、俺には後遺症が残された。相手を妊娠させるのではないかという恐怖、つまり性的不能だ」

「でも、あなたはちゃんと男性だったわ」

「それでもきみを、いわゆる抱くことまではできなかった。あそこまで回復させてくれたのはきみだ。きみのおかげで、俺はようやく男にもどれた。二十七歳で不能とは情けない話だが」

しかし私は、彼の性愛への恐怖心のおかげで、人並みにおしゃべりができるようになったのだった。珍しく意地を働かせて、無口で退屈な女から脱けだそうとした。あの意地とは一体何だったのだろうか。

「きみが旅行に発《た》ってしまってから、俺の回復もあのままでね、他の女とためしてみる気にもなれなかった」

「いったい、いつから、そんないくじなしになったの？」

私は努めて陽気に言い放つ。

「あなたは十七歳のときから、一人前の遊び人だったのに」

「きみは十七の頃から、ひどく無口でおとなしい受身の女性だった」

私は彼を立ちあがらせた。

海とおしゃべりする楽しさを、あの不思議な交歓《こうかん》のやすらぎを、彼にもっと事こまかく、そして、じっくりと聞いてもらいたかった。ふたりきりのベッドの中で。

ある関係

受話器から聞こえてきた吉尾《よしお》の声に、悦子《えつこ》は思わず緊張した。

約二年ぶりに耳にする声だった。

吉尾は屈託《くったく》のない明るい調子でしゃべりはじめた。

「どうしているのかって、ふと思いだしたものだから。今ようやく残業を終えたとこなんだ。元気なのか」

彼の口調にあわせて、悦子もめいっぱいの快活さを装《よそお》った。

「元気よ、相変らず。ところで新婚生活のご感想はいかがですか」

「よせよ。新婚気分なんて、せいぜい三ヵ月どまり、俺が結婚したのは、もう二年も前のことだ……。それより、きみのほうはどうなんだ？　もうすぐ三十の大台に差しかかるんじゃないのか。いや、俺も同じだけど」

悦子は開けっぱなしになっているクロゼットのドアにかけたハンガーに目をやる。あす会社に着てゆく服を用意していたときに、電話が鳴ったのだった。ハンガーには淡いグレーのスーツと光沢のあるベージュのブラウスが重ねられていた。スーツは3《スリー》シーズン着用できる、ほどよい柔らかさを持つ布地だった。

「三十の大台を迎えても、私にはこれといった変化はなさそうよ」

「仕事に追われているのか」

「追われるほどやってはいないけど、まあ、あなたと似たようなものね」

「じゃあ相当に働いてることになる」

「なまけてもいるわ、あなたがそうしているように」

返事のかわりに軽い笑い声が伝わってきた。

二年の空白などなかったような以前通りのやりとりであり、吉尾の楽しげな笑いだった。

悦子の緊張も、いつのまにかとけていた。

「毎日こんな時間まで残業しているの？　十時をすぎているのに」

「いや、これもあさってで片がつく」

「帰りが遅いと、奥さんも淋《さび》しがるでしょう」

「女房の話はよそう」

「照れることはないじゃないの。お子さんは？」

「いや、いない。できないというか、まあ、いろいろとあってね」

「結婚て、何かと大変みたいね」

そう言いながら、なぜか悦子はほっとしていた。

それからふたりは取りとめのない会話をしばらくかわし、適当な憎まれ口と笑いをはさみ、やがて吉尾は三日後の夕食に悦子を誘ってきた。

悦子はとっさに自宅に招かれたのかと戸惑《とまど》ったけれど、そうではなかった。

吉尾は、かつてふたりの行きつけだった居酒屋の名前をあげ、久しぶりにそこをのぞいてみたいのだという。悦子にしても、なつかしい店だった。最後に吉尾と会ってからというもの、ずっと遠のいていた。

三日後の六時、と吉尾はほがらかに念を押して電話はきれた。

コードレス電話をサイドテーブルにもどしてからも、悦子はベッドの端に腰かけつづけた。

胸の底から、じんわりと後悔の苦さがこみあげてくる。

今さら会わないほうがいいのかもしれなかった。

吉尾と会ったあとに、自分の気持があてどなく動揺するのではないかという不安がしきりと働く。

結婚する、そう彼から打ち明けられた二年前、悦子は自分でも意外なほど心をざわめかせた。気持がふさいだ。落ちこむほどの激しさではなかったけれど、それまでは透明だった心に、うっすらと影がさしこんだような、そんなくぐもりだった。

くぐもりが晴れるまで一年近くかかり、そのあいだ悦子は、そういう状態から抜けきれない自分がじれったく、腹立たしく、くやしさも感じた。自分自身が手に負えなかった。

仕事に没頭しているときは、くぐもりから解放されるのに、いったんそこからはなれると、妙にふさぎこんでいる自分がいる。

どうしたのだろう、と自問する。すぐには原因がつかめない。

あれこれたどってゆくうちに、結局は、吉尾の結婚につきあたる。

そして悦子はいっそう気がめいってくる。吉尾の結婚に、ここまで感情を左右されてしまうとは、まるで予想もしていなかったし、また一方では、いつかこういうときが訪れるのはうっすらと覚悟していたはずだった。

それなのに、心のくぐもりは、悦子の理性を越えて、吉尾の結婚はショックであったことを否応《いやおう》なく物語っていた。しかも一年間にもわたってショックは消えてゆかない。

くぐもりにとらわれている自分を、悦子は持てあました。

こんなはずではなかった。

吉尾とはそういうつきあいではなく、あくまでも友だち関係なのだ。

たがいに、つねに一定の距離を保ち、それ以上の接近を望むそぶりも、また、きざしもなかった。

ベッドに腰かけている悦子の胸に、すでに一年前にようやく消滅したはずの、あのくぐもりが少しずつよみがえりはじめていた。以前ほどの濃さではないけれど、やはりくぐもりには違いない。

悦子は自分にむけて吐きすてた。

（ばかばかしい。彼は恋人でも何でもなかった。それなのに、この気持は、まるで長く尾を引いている失恋の痛手のようではないか）

勢いよく立ちあがり、クロゼットに近づく。

ハンガーから光沢のあるベージュのブラウスをはぎ取り、クロゼットの中にもどす。

光沢のあるものを着る気にはなれなくなっていた。そういう気分は消え失《う》せてしまった。

悦子の手は迷いなく別のブラウスを選び取っていた。ごくシンプルな黒のシャツ・ブラウスが、今の心境にいちばん近かった。


吉尾との出会いは七年前にさかのぼる。

正月休みのスキー場のホテルだった。

どちらも社会人になって一年目の正月を、学生時代の友人たち数名と、温泉のあるスキー場ですごそうとスキー・パック・ツアーを利用してやってきた。ツアー会社は違ったが、三泊四日の日程は同じだった。

初対面であるふたつのグループが合流したのは、ホテル内にあるディスコとカラオケとスナックをかねあわせたスペースだった。レーザー光線とミラーボールが、夜を盛りあげていた。

吉尾は男ばかり六名、悦子は女ばかり四名のグループで、声をかけてきたのは吉尾たちのほうからだった。

アルコールの力を借りて、たちまちに数組のカップルができあがったけれど、当時、恋人のいた悦子はそういう状況を敬遠して、すばやく別のボックス席に移った。

案の定、一時間もたたないうちに、ふたつのグループが入りまじった席では、あやしく、みだらな雰囲気が立ちのぼりはじめた。

それを避けるようにして、グラスを手に悦子のいるボックス席にやってきたのが吉尾だった。

テーブルをはさんですわり、ふたりは口もきかずにソファの背に斜めに身体をあずけ、正面のダンス・フロアで踊る人々を眺《なが》めていた。

吉尾のその横顔には、デリケートで気むずかしいものが色濃くでていて、うかつに声をかけられるのを拒《こば》んでいるように見えた。といっても悦子にしても、そのほうがたがいに無関心でいられる気楽さがあった。

ディスコ音楽が数曲かかったあと、静かなムード音楽に変り、吉尾が斜めにしていた姿勢をこちらへとむけ、なにげなく話しかけてきた。

「きみもああいうのは苦手なの？」

彼が目で示したのは、肩を抱きあったり、手を握りあったりしている、ふたつのグループのボックス席だった。

「ええ。得意ではないわ」

「俺もまったく駄目だな。ゆきずりの何とかというのは」

吉尾のしゃべり方はゆったりとして、軽はずみな印象とはかけはなれていた。また話し相手がいると、デリケートで気むずかしい表情は抑《おさ》えこまれるのか、面とむかったその顔には、むしろ人なつっこい笑みがうっすらと刷《は》かれ、悦子を安心させた。

「しかし人間の気持って、わからないなあ」

ひとりごとのようにつぶやいてから、吉尾はまたちらりとグループのほうへ視線を走らせた。

「さっき俺の横にいた彼女、ちゃんと彼氏がいると自慢していたのに、その彼氏のことは忘れて、ほかの男といちゃついているんだから」

「男のひとたちにしてもそうでしょう」

「まあ、それは言えるけど……やっぱり俺には無理だ、ああも大胆にはできない」

「恋人に悪いから？」

「いないよ、今のところそういう特定の相手は。きみは？」

「一応つきあっているひとはいるの」

　ふいに吉尾は笑顔を広げた。人なつっこさがさらに強調された。

「それを聞いてほっとしたよ。さっきの彼女のような女性ばかりじゃない、きみみたいなひともいるんだ」

　悦子もつられて、からかいまじりにたずねた。

「あまり女性とつきあったことがないの？」

「そういうわけでもないけど」

「じゃあ最近、失恋したばかりとか」

　返事のかわりに吉尾は苦笑を浮かべた。その表情のまま、ぽつりとつけたした。

「仕事が忙しくてね」

「私の彼もそう。だからめったに会えない。でも、もう馴《な》れちゃったわ。彼はそういうひとなんだと」

吉尾のまなざしに同情がこめられた。

「なんだか、きみとは話があいそうだね」

ホテルに泊っていた残り二日間、夜になると合流したグループの中にいながら、ふたりは仲間の騒ぎには加わらずに、もっぱらおだやかな会話をかわしていた。

吉尾はしゃべっていて居心地のよい相手だった。ときおり、デリケートな傷つきやすい一面をのぞかせもしたけれど、悦子には気にならない程度であり、かえって、まったくの鈍感《どんかん》さよりも、いくらかの心のひだの持ち主のほうが親近感をおぼえる。

そして吉尾にしても、恋人のいる悦子だからこそ、くつろいでいられるらしい。言葉のはしばしから、失恋によってやや女性に対して臆病《おくびょう》になっていることが、それとなくうかがえた。

だが失恋にまつわる具体的な内容はいっさい語らなかった。悦子の恋人についても、あえて詮索《せんさく》はしない。

この姿勢は、その後の五年間のつきあいの中でも一貫していた。

こちらから口にしなければ、相手のプライベートな異性関係には、けっしてふれないし、質問もしない。自分のそれを話題にするのも避ける。

悦子が彼から聞いた最初にして最後のその手の打ち明け話は、結婚すると決めたときだけだった。

正月休みが終り、都会の社会人にもどったふたりは、それからも連絡を取りあい、月に一、二回は会うようになった。

たがいにそれほど口かずの多いタイプではなかったけれど、会話が途切れても、その沈黙を気まずく感じることもなく、淡々と時間をやりすごす。

いくら酔っても、ふたりともハメをはずさなかった。たわむれにしろ、腕を組んだり、手を握った記憶は、いっぺんもない。

吉尾と知りあってから一年後、悦子は恋人と別れたが、彼は関心がないだろうと考え、あえて口にはしなかった。

その頃《ころ》から吉尾はしきりと言いはじめた。

「俺、もしかすると、ずうっと結婚しないかもしれないな」

「どうして？」

「なんとなく」

そう思うようになった背後には、悦子には語りたくない女性関係があるのかもしれない、と想像してそれ以上の追及はひかえた。

ただ、口癖のようにその言葉をくり返す吉尾に影響されたのか、悦子も漠然《ばくぜん》とながら、そういう人生もいいのかもしれない、と自分の将来を想像したりもした。ちょうど仕事にも意欲を持ちだした時期だった。

そしてその想像の世界には、やはり悦子と同じように独身をつづけている吉尾が心強く組みこまれている。

「一生ひとりでいるのは、あなただけじゃないかもしれないわ。私も仲間になる可能性が大だもの」

「急にどうしたんだ?」

「このところ仕事がおもしろくなってきて、そんなことも考えてるの」

「そうか。じゃあ、ふたりで仲よく齢《とし》をとるか」

「そのためには貯金しなければ」

「貯金? どういうこと?」

「独身のまま老人になったら、できることなら、ゆくゆくはデラックスなシルバー専用のマンションに入りたいじゃない」

「温泉つきの」

「そう。お医者さんもいて」

「なるほど。それ、悪くないプランだな」

こういう話を冗談半分にしていると延々と会話はつづき、ひっきりなしに笑いあい、飽きることがなかった。

だから話題につまると、どちらかが、必ず老後プランの話をむし返し、すると相手もまたすかさず目を輝かせて乗ってくる。

こうしたやりとりの中で、悦子は独身でいようという気持をいっそう固めていった。

だが、悦子が恋人とはとうに別れていることを知らなかった吉尾は、一生独身の話にしろ、将来の老後プランにしろ、すべて悦子の「言葉遊び」とあたまから決めつけていたらしい。

あるとき、やはりひと月ぶりで会った彼は、相手のプライベートな領域に踏み入る無神経さを恥じる表情を浮かべながら、遠慮がちにきいた。

「きみが独身でいたいということについて、彼はどう言ってるの」

「彼？」

「ほら、恋人が」

「もう別れたわ。一年半も前に。あら、私、あなたに言わなかったかしら」

「聞いていないよ」

吉尾がひとり暮らしの悦子の部屋に電話をかけてくるようになったのは、それからだった。

以前は会社にしかかけてこなかったし、その内容も、何日の何時はどうだろうか、という手短な誘いに終始していた。

部屋にかけてくる電話も、はじめのうちは、いたって事務的なそっけなさで、次に会う日時の打診だった。

そのうち次第に回数はふえ、しゃべっている時間も十五分から三十分、三十分から一時間と長くなりはじめた。他愛《たわい》のない会話なのは相変らずだった。また電話でそれだけ近況報告をかわしながらも、実際に会うのは、これまで通りに月に一、二回であり、どちらもそれ以上の接近を望もうとはしない。

ふたりのあいだで電話がしめる位置は少しずつ大きくなっていった。

ある晩は、悦子が受話器を握りしめて、仕事上の愚痴《ぐち》を思いっきり吉尾にぶちまけた。はじめてのことである。

吉尾はじつに根気よく耳を傾けてくれた。慰《なぐさ》め、励《はげ》ましてもくれた。

が、翌日、悦子は自分がしゃべりすぎたことを後悔した。吉尾に対して甘えすぎた、もたれかかりすぎた。多分、彼は一応は相手になってくれたものの、心のどこかで、うんざりしたに違いない。

悦子の予想を裏づけるように、それから十日間ほど吉尾からの電話はなかった。

数ヵ月後の夜の電話では、今度は吉尾が意外な面をさらけだした。いきなり、数年前の失恋のいきさつについて語ったのだった。取り憑《つ》かれたように彼はよどみなくしゃべりつづけた。たっぷり二時間の電話を終えてみると、悦子は受話器を持っていた右の肘《ひじ》が痛くなっていた。

なぜ吉尾が突然に打ち明けたのか、しかも、もう何年も前の出来事を、あれほどまでに洗いざらい話したのか、悦子は理解しかねた。

だが吉尾もきっとあとになってバツの悪さをおぼえたのだろう。翌日から二週間近く連絡はとだえた。

そして、ようやく吉尾が電話をかけてきて、悦子がこれまで通りの受け答えをすると、相手はほっとしたように声の緊張をといた。

カレンダーが何枚も変り、気がつくと、日曜日の夜の電話がふたりのスケジュールに入りこんでいた。

七時きっかりに吉尾からの連絡がきて、そこでたがいの今週の仕事の予定やひとと会う約束などを伝えあう。別に何かの役に立つとか、時間の調整をしているわけではなく、ただ、なんとなく事前に報告しあっているだけだった。

一度だけ悦子が街中《まちなか》に買い物にでかけ、偶然に大学時代の友だちに会い、帰宅が七時にまにあわなかったことがある。

九時をすぎて部屋に帰りつくと、電話のベルが鳴っていた。あわてて受話器を取ると、うむを言わせぬ勢いで、吉尾が怒鳴った。

「どこに行ってたんだ、いったい」

七時からずっとリダイヤルをしつづけていたらしい。あとにも先にも彼の怒鳴り声を聞いたのは、そのときだけである。

そういえばこのところ吉尾からの電話がない、と悦子が思いいたったのは、彼の声を耳にしなくなってから数ヵ月たってからだった。仕事に忙殺され、すっかり忘れきっていた。

最後に会ったのはいつだったろう、と手帳をめくってみて、悦子はその日のことをあざやかに思い出した。

夕方、会社になつかしい人物からの電話がかかってきた。高校生の頃の同級生で、出張でこちらにきたのだが、あすには帰るのだという。とりわけ親しかった男子生徒だった。

一瞬、悦子は迷ったが、吉尾と待ちあわせている場所と時間を告げた。たまには第三者をまじえても楽しいだろうという軽い気持からだった。

夜、いつもの居酒屋で三人は顔をそろえた。

吉尾は前ぶれもない第三者の出現に驚いた様子もなく、悦子の連れをもてなしてくれた。ハンサムで、まだ二十代のわりには押しだしのよい元同級生は、昔と同じく悦子を「えっちゃん」と呼び、酔いがまわるにつれて悦子の肩や腕にふれたりもした。だが、それは下心のある態度ではなく、なつかしさのあまり、そんなふうに親愛の情を示したにすぎない。居酒屋をでて、次にスナックに行った。そこでは吉尾は手持ちぶさたにしていた。悦子と元同級生の昔話がひとしきりはずんだからである。

そしてスナックをでたところで、三人はそれぞれの方角に別れた——。

あの夜をよみがえらせ、悦子は、もしかすると吉尾は誤解したのではないか、と想像した。しかし、こちらから彼に電話をして弁解するには、時間がたちすぎている。

それに吉尾のほうも、あの夜にこだわっているというよりも、仕事に追われているだけかもしれなかった。

もう少し待っておいてみよう、そう悦子は考えた。

それから半年後、ようやく吉尾が連絡してきた。

久しぶりで、ふたりは会った。

吉尾はいつになく悦子を引きまわし、ようやく四軒目の酒場で腰を落ち着けた。酔いも顔にでていた。そして、悦子から目をそらせて言った。

「俺、結婚するよ。見合いなんだけど」

二年ぶりに吉尾と会う約束の日まで、悦子は彼とつかずはなれずの間柄であった五年間を何回となくよみがえらせていた。

振り返ってみると、奇妙な関係だった。

友だちと言いきってしまうには、たがいにどこか不透明で、歯ぎれの悪い部分をかかえていたように思う。

プラトニックな恋人と呼ぶのも、やはりふさわしくない。ときめくような恋の感覚はなかったし、一緒にいてそういうあやしいムードになったことさえなかった。

ただ吉尾から結婚すると打ち明けられたとき、とっさに悦子の胸をよぎっていったのは、裏切られた、という思いである。

彼が口癖のように言っていた「一生、独身かもしれない」という言葉を、悦子は自分が考えていた以上に心のどこかで信じていたらしかった。支えにもしていた。

ふたりしてずっと独身で通し、しかも交友関係を保つ——その状態を夢見ていたし、あるいは吉尾ならという期待と信頼も、なぜかしぜんといだいていたのだった。

それは彼との暗黙の約束のように勝手に思い決めてもいた。

だから悦子はまっしぐらに仕事に没頭できた。恋人がいなくても、結婚の予定がなくても、あせらずにいられた。なぜなら同じように独身をつらぬいている吉尾が身近にいるはずだったのだから。

今になってみると、なんと身勝手で幼稚な思いこみだろう、と悦子は苦笑する。

二十代まっただ中で口走る独身主義が、いかにあてにならないものか、三十の大台を目前にして友人知人がバタバタと結婚をしてゆくのを見ていると、それを痛感させられる。吉尾が結婚してからも、悦子は取り残された心細さをかみしめながらも、では自分もそうしようといった気持にはならなかった。

「一生、独身」このフレーズは、愚かなぐらいのしたたかさで、悦子の脳に深くきざまれ、すぐには思考の転換ができないようになってしまっていた。

いったんは電話で約束したものの、悦子は吉尾と再会すべきかどうか、過去を思い返しながら迷いつづけた。

一年かかって、ようやく心のくぐもりを払い落した。それなのに、また動揺の日々を送るようになるのはうっとうしい。

けれど、当日の夜六時すぎ、悦子は居酒屋のテーブル席で吉尾とむかいあっていた。

彼は二年前より少し頰《ほお》がやせていたけれど血色はよかった。

料理と飲み物を注文したふたりは、あたりさわりのない職場の話や近況報告をかわし、その昔ながらのゆったりとした口調のまま、吉尾は唐突《とうとつ》に言った。

「先月、離婚したんだ」

「離婚て、あなたが？」

驚いてきき返す。しかし三日前の電話では、まったくその気配も匂《にお》わさなかった。

「仕方がなかった。女房が病気になって」

「病気の奥さんを離婚した……」

「いや。正直にいうと、別の男性とのことが忘れられず……心のほうの病《やまい》になってしまったようなんだ」

悦子のまわりに心を病《や》んでいる者はなく、どのようにも想像は働かない。

「結婚前に妻子ある男性と恋愛していたらしい。かなり真剣にね。で、その相手とむりやり別れさせられて、俺と結婚した。彼女はそれなりに新しくやり直そうと努力していたとは思う。しかし結局、別れた相手への想いは断ち切れない、そのうち夫である俺に対する嫌悪感がどんどん高じていって……これは発病後に担当医から説明してもらった」

「そう。ひたむきな女性だったのね」

「ひたむきすぎたんだろうな」

ふたりはしばらく黙りこむ。

うつむいた姿勢のまま、吉尾がつぶやいた。

「でも、ひとつだけ救われたよ。女房は俺に惚《ほ》れてなかったのがわかって」

「それ、救いになるの」

「ああ。俺も惚れてなかったから。惚れてもいないのに結婚したバチがあたったんだろうな。女房の精神がおかしくなってから、家庭の中は一種の地獄だった。まさか分裂症とは思わなかったし」

吉尾の話を聞きながら、悦子は別のことを考えていた。

妻子ある男性への想いから逃れられないのと、「一生、独身」のフレーズを頭にきざみつけてしまった者との違いはどこにあるのだろうか。

他者とかかわるか、そうでないかだけで、とらわれている点では似ている。

が、他者を求めてゆく者と、求めない者の開きは大きい。

そして悦子は思った、私は他者を求めないふりをしながら、自分が傷つかない範囲のところで、ひっそりと他者を求めている。吉尾との五年間がそうであったように。

沈んだ話が大半をしめてしまった居酒屋をあとにして、ふたりは吉尾の最近の行きつけだというバーに移った。

木造りの、ひとの体温を吸い取って明るさを放ちつづけてきたような、古くて、あたたか味のある店だった。

以前の吉尾なら、もっと無機質で、そっけない雰囲気のバーを好んでいた。

初老の愛想のよいマスターが、たっぷりとしたほほえみで、カウンターの内側からふたりを迎える。

「マスター、俺はいつものを」

「私はブランデーをいただきます」

マスターが目の前からいなくなってから、吉尾は正面をむいたままたずねてきた。

「きみはどう思う？　女房があぁなったのも、やっぱり俺と結婚したからだろうか。他の男ならそうはならなかったんだろうか」

「あなたが原因ではないと私は思うけど」

「俺がめちゃくちゃあいつに惚れていたら？」

「あなたはそういうタイプの男性じゃないでしょ、残念ながら」

びっくりしたように吉尾は振り返った。

「ちょっと待てよ。俺のこと、きみは本気でそう見ているのか」

「だってそうでしょう。クールでデリケートで少し気むずかしくて、そして──」

「そして俺はものすごく嫉妬深《しっとぶか》いんだ」

高校の同級生と三人で盛りあがったはずの夜を思い浮かべた。

吉尾が口調を変えてきいてきた。

「ところで話は古くなるけれど、どうしてきみは俺の披露宴に出席してくれなかったんだ」

「ひどい風邪《かぜ》をひいてしまって寝こんでしまったのよ」

本当だった。一日中、ベッドから起きあがれないくらいの高熱を発していた。

「ふうん、そうか」

「信じてないみたいね」

「いや、そんなことはない」

ブランデーとオンザロックのグラスがそれぞれの手前にさしだされた。

グラスを握りしめた吉尾が、ひとりごとのように言った。

「この先しばらくは結婚する気にはなれないだろうな、俺は」

「きっとそうなんでしょうね」

ぼんやりとそう返答してから、悦子はふいにいたずら心を起こした。

「一生、独身」をくり返すようにして、悦子の頭にしっかりと吹きこみ、定着させたお返しをするなら今だった。いくぶん気持を弱めているに違いない吉尾の心に、今ならいちばん効果的にこの言葉を打ちこめる。

「私の勘ではね」

いかにもまじめな重々しい調子で口をきる。

「おそらくあなたはこのまま一生結婚はしない。いえ、できない。無理よ、どう考えたって」

吉尾が不安そうな目をむけた。

「そう思うか」

「ぜったいにそうよ」

悦子はひるまずに見返す。

そして、ひっそりと心の中ではしゃいでいた。

吉尾はふたたびもどってきた、私のもとに。もう、そう簡単には手ばなさない。

「一生、独身」でいるはずの悦子にとって、吉尾は貴重な相手だった。

何よりのパートナーだった。

女友だち

映画を観終《みおわ》ってそとへでると、雪はまだ降りつづいていた。

昨夜からとだえることなく降りしきっているこの雪は、日曜日のきょうの夕方には晴れるという予報だった。

札幌の一月末の、冬のまっただなかの雪にふさわしく、それは、こまかくて、硬《かた》い。傘のすきまから舞いこんで、オーバーコートの肩にとまった雪片《せっぺん》は、すぐには溶けてゆかなかった。

建ち並ぶビルディングのひとつの壁面につけられた電光温度盤は、摂氏マイナス八度を示している。

ロード・ヒーティングのなされた、そこだけ雪のない舗道を歩きながら、正樹《まさき》はつぶやく。

「飛行機、大丈夫かなあ」

「夕方にはやむらしいわ」

昨夜から、きょう正午までの降雪量は、十数センチとのことだった。

千歳《ちとせ》空港発の東京行きの便は、今朝、ふた便が欠航になっていた。

珍しいことではなかった。ドカ雪が降るたびに、千歳空港は除雪がまにあわずに、欠航になる。ひと冬に数回は、そうした雪による出来事《アクシデント》が生じる。

正樹が乗る便は、午後八時台の最終便だった。それまでには、滑走路に降りつもった雪も、きれいに処理されているだろう。

午後の一時半をすぎていた。

正樹と志穂子《しほこ》は、昼食は何にしようかと歩きながら、とりとめのないやりとりをかわす。

ふたりはどちらも、食べることには、あまり意欲的なタイプではなかった。

「志穂子、たまにはああいうのもいいじゃないか」

正樹が顎《あご》をしゃくって示したのは、車道をはさんで、斜めむこうにあるハンバーガーショップだった。壁面が透明なガラスになっていて、中高生らしき若者や、子供づれの若い母親の姿がひしめきあっている。

志穂子に異存はなかった。というより、あれこれ考えるのが面倒になってきてもいた。

ふたりは信号を渡って、その店へむかう。

人通りの多い雪道は、歩きやすい固さに圧《お》しならされていたけれど、ときには氷と化した部分が淡雪の下にかくれていて、パンプスをはいた志穂子の足は、そこでバランスを失いかけた。

正樹がすばやくその腕をつかみとり、あやうく転倒しそうになった体を強く引きあげる。

「俺《おれ》につかまっているといい」

言われるまま、志穂子は彼の腕に自分のそれをからませる。

雪道で転んで骨折したり、尾骶骨《びていこつ》にひびが入ったという事故は、毎年、少なくなかった。昨年の冬も、志穂子の職場の後輩が、やはり、肢《あし》を捻挫《ねんざ》して、春になるまで完治しなかったものである。しかも、大学でたての若さでそうなのだから、お年寄りの雪道での事故は、かなりの数にのぼっているらしい。

ハンバーガーショップに腕を組んで入っていったふたりは、客たちの視線をいっせいに浴びた。

場違い、なのはわかっている。

志穂子は黒いウール地に襟《えり》と袖口《そでぐち》、裾《すそ》のところにブラック・ミンクがぶ厚くとりつけられた、ドレッシーなAラインのコート姿だった。そして黒のパンプスに、同色のなめし革の手袋、ケリーバッグを手にしている。

正樹は、モスグリーンのカシミアのコートに、ブラウンのソフトスーツ、襟もとからのぞかせているマフラーもブラウンである。

ふたりは、ごく普通のレギュラータイプのバーガーセットを注文し、それぞれのトレイを持って、ちょうど空席になったガラス壁のそばのテーブルについた。

珍しいものを見るまわりの視線は、まだ、しつこくふたりを追ってくる。

志穂子は手袋をとる。赤いマニキュアをした指でハンバーガーを握りしめるが、うまく食べられない。パンのあいだにはさまれたチーズや輪切りのトマトが、口に持ってゆこうとすると、だらしなく落ちそうになる。

「相変らず不器用だな」

言いながら正樹は、志穂子の手からそれをとりあげ、彼女がいったんはぎとったつつみ紙でハンバーガーをくるむ。

「ほら、こうすれば手を汚さずにすむ」

トレイの上には、そのほかにコーラとフライドポテトがのっている。

「きみがこういう店にきたのは何年かぶりなんだろう？」

「ええ」

「おぼえているかな、ハンバーガーショップに、きみをはじめてつれていったのは、この俺だった」

「忘れていたわ」

「だろうな。そのときも、きみはハンバーガーの食べ方にとまどった。かれこれ十年前だ」

そして正樹は手際《てぎわ》よくハンバーガーを頰《ほお》ばり、ストローでコーラを飲みながら、自分は見合いした相手を、必ずこうした店に誘ったものだったと語りはじめた。

相手の女性たちは、まず驚いた表情をする。見合い相手との食事なら、フランス料理か、あるいは上品な懐石料理に違いないと、あたまから決めてかかっていたらしい。そうした席にふさわしいドレスアップした服装であらわれる。

「ある女性は露骨に不機嫌になった。ひとりは最後まできょとんとしていた。また別の女性は、はっきり言ったよ、ばかにしていませんか。で、婚約までした彼女は、楽しそうに笑った。まあ、その笑いが気に入ってね、彼女ならと思ったのだが……」

志穂子は、正樹がなぜ婚約を解消したのか、その理由は知らない。プライベートな事柄は、相手がそれを口にするまでは、こちらからはたずねないのが、志穂子のやり方だった。

「つまらないことなんだ。不機嫌になった女性、きょとんとしたひと、俺に抗議した彼女、また婚約した女性、どのひとも最初は困惑した顔をしたのに、さて食べようとするだんになると、これが、じつに上手にというか、巧みにハンバーガーに嚙《か》みつく。本当に感心するぐらい場馴《ばな》れしている」

「今の二十代のひとならそうでしょうね」

「ところが、俺としては、そこで興醒《きょうざ》めしてしまうんだなあ。もっと俺に世話を焼かせてくれと」

「確かにつまらない理由ね」

ようやくハンバーガーの半分までたいらげた。赤いマニキュアの一本がソースで汚れている。かなり慎重に扱っていたはずなのに、やはり、どうしてもしくじってしまう。

正樹が卓上のナプキン立てから一枚抜きとって、志穂子のその指をぬぐう。

「俺は志穂子と長くつきあいすぎたのかもしれないな。ついきみを基準にしてしまう。不器用で、どこかぼんやりしていて、それでいて容赦《ようしゃ》のないきついところがあって」

「でもハンバーガーを上手に食べた彼女と、そのあと婚約したのでしょう?」

「ああ」

「残念ね。おたがいにうまくやってゆけそうだったのに」

正樹はフライドポテトを一本つまみあげ、それに見つめ入る。

「彼女は、いわゆる着痩《きや》せするタイプだったんだ」

とっさに志穂子は彼を見返した。

今の言葉からすると、ふたりは肉体関係があった、少くとも、それに近い状況にまでいったことになる。

それなのに婚約をとり消したのか。

その疑問と、ややとがめるような気配を感じたらしく、正樹は苦笑した。

「婚約したあとに、彼女のほうからホテルに誘ってきたんだ。彼女、率直な性格でね、本当は婚約する前にためすべきだったと言っていたよ」

「それが破綻《はたん》の原因になったの」

志穂子は食べかけのハンバーガーをトレイに置き、コーラを飲む。しばらくぶりに飲むそれは、こんなにも甘い味だったのかと舌がちぢむ。淡白さを好む広尾《ひろお》の味覚に馴染《なじ》んでしまった自分が実感された。広尾は五十四歳になる内科の開業医である。すでに十年近く志穂子のパトロンだった。

「俺が悪いんだ。彼女は及第点をくれたよ、ベッドの上の俺に対しては。しかし、俺はそこで興醒めしてしまった。意外と肉づきがよくて、性的にも怖気《おじけ》づかない。どちらかというと積極的だった。ところが、いったんそうなると、彼女、急に馴れなれしくなって、まあ、婚約して性的関係もできたのだから、女房づらするのも当然なのだろうけれど、あれにはまいったな」

それから正樹は婚約解消を申しでてからの、両家双方の一連のもめごとを、手短に、他人《ひと》事《ごと》のように語り聞かせた。

話に耳を傾けながら、志穂子はハンバーガーの残りを食べ、フライドポテトを数本つまみ、そしてコーラではなく氷の入った水で喉《のど》をうるおした。

志穂子は三十歳だった。同じ齢《とし》の正樹とは大学時代からの友だちづきあいがつづいていた。

正樹はこの二年間に四回の見合いをし、昨年の夏に四人目の相手と婚約した。秋に、その縁談を一方的に破棄し、そして年があらたまってまもない今夜、札幌をはなれる。一年間カナダに「出張」との名目であったが、その実体は「婚約破棄のほとぼりがさめるまで」だった。

彼が婚約した相手は、札幌ではかなり著名な実業家の娘であり、さらに彼の父親も財界では名の通っている人物である。

この破談の一件は、業界紙の記者が嗅《か》ぎつけ、北海道内で販売されている、とある経済雑誌に大きくスキャンダルとして掲載されてしまった。雑誌が発売されてしまってから、どうして正樹の父親の段階で、掲載にストップがかけられなかったのかとまわりの者たちは歯ぎしりをしたが、雑誌社側からは事前にひと言の打診もなかったという。たいがいは、金銭交渉がらみで話が持ちこまれるのが、その業界の常識だった。商談が成立すれば、その記事はもみ消されてしまう。

雑誌に載った破談の記事は、悪意とからかいに満ちていた。

相手の女性は同情すべき被害者であり、正樹は弁解の余地のない加害者に仕立てあげられ、さらに、ホモセクシュアルか、SM嗜好者《サド・マゾしこうしゃ》か、と思わせるニュアンスで記されてあった。邪推《じゃすい》は志穂子にもおよんだ。正樹の昔からの「女友だち・S嬢」が、今回の婚約破棄のみならず、彼のすべての行動の鍵《かぎ》を握っている——。

だが、志穂子は取材されてもいない。それらしき人物に尾行された形跡もない。そのわりには、記事内容は、かなり刻明に志穂子の身辺に精通《せいつう》している書き方だった。ただ勤務先の商事会社名には一行もふれていない。正樹と大学が一緒であったことも省略してある。

そのため、雑誌が発行されても、志穂子の周囲には、まったく波風が立たなかった。

正樹から謝りの電話がかかってきて、そこでようやく自分も渦中《かちゅう》のひとりらしいことを、志穂子は知ったのである。

広尾も毎月その雑誌を、つきあいがらみで購入し、ざっと目を通してはいるようだが、正樹と「女友だち・S嬢」が、志穂子のことだとは、まったく気づいていなかった。

広尾の前で、志穂子は、たとえ職場の同僚や上司であっても、男性の名前を口にするのはひかえていた。正樹の存在さえ、広尾には沈黙しつづけてきた。

広尾が、ことさら嫉妬深《しっとぶか》い男というわけではなかった。むしろ、ささいなことは大目に見たり、聞き流す鷹揚《おうよう》な性格で、五十四歳になった現在も、代々医者の家系という育ちのよさと、どこか世事《せじ》にうといところがある。志穂子は、そういう広尾を、いまだに気に入っていた。十年来の関係も、ごく円満に継続し、もはや愛人というよりも、広尾の齢のはなれた若い妻という、おだやかで安定した間柄に変りつつある。

志穂子は争いを好まない。たとえ男女関係において、ある種の媚薬《びやく》の役割をはたす、ちょっとした嫉妬心をあおる言動にしても、できるだけ避けようとする。

これまでにも、志穂子は、広尾をやきもきさせたり、いたずらな心配や不安をいだかせるようなそぶりには細心の注意をはらってきた。

それは広尾への愛情と同時に、この恵まれた生活を大切にする気持からである。

志穂子の暮らしぶりは、商事会社に勤める普通のサラリーガールが、それも自活している女性が、よほどの副業にでもつかないかぎり不可能なぐらいに贅沢《ぜいたく》で余裕ある生活だった。

この生活は、広尾と知りあった大学生の頃《ころ》から保たれている。

年齢をへるごとに、志穂子は、この生活レベルを落したくないと強く思うようになった。

同年輩の男性と結婚したなら、確実に生活水準は低くなる。共働きの場合にしても、いくら家事を手伝う夫であっても、こまかな部分の負担は、結局、女の側がかぶることになってしまう。また、結婚にともなう相手の男性の親きょうだいとの交際も、結構むずかしく、わずらわしいものだと、結婚した女友だちは口をそろえて言う。

広尾から月々の援助を受けている今の暮しは、申し分なく快適だった。

彼がマンションの部屋にやってくるのは金曜日の夜と決まっている。

志穂子という愛人を持ちながらも、広尾は家庭を、家族を大事にする男だった。愛妻家である一方で愛人がいる、矛盾しているようでいて、志穂子は別に不思議には感じない。自分にそそがれる彼のおおらかで、こまやかな愛情表現をつぶさに眺めていると、広尾が妻や子供にも同様のいつくしみをむけているのだろうと想像がつく。また、そう思わせる男でもあった。何気ない会話の端々《はしばし》からも、彼の家庭サービスの光景が思い描かれてくる。特にここ数年、広尾は折にふれて、家族のことを、それとなく志穂子に語り聞かせていた。それだけ志穂子を信用してきている証拠でもあった。

広尾との関係を切り捨ててまで、結婚したいと望む男性は、これまでの志穂子の前にはあらわれなかったともいえる。

唯一、正樹だけはその対象になりかけた。

けれど、そのかかわりが恋人と呼ばれるものになりかけた直前、志穂子は自分からふたりの関係を規定した。

「正樹、あなたとはずっとお友だちでいたいわね」

八年前、まだ学生の頃だった。

雪は次第に小降りになっていた。

志穂子はホテルの窓からはなれ、ベッドわきのテーブルの電話で、千歳空港の飛行状況を問いあわせてみた。

混乱状態はまだつづいているけれども、あと一、二時間で正常通りの運航になる、テープに吹きこまれた声がそう伝えてくる。

間隔をあけて、ふたつ並んだベッドのドア寄りのそこに、正樹はスーツの上着をぬいだだけの恰好《かっこう》で、あおむけになっていた。ベッドカバーのかかった枕《まくら》の位置に、さらに両腕を組み、その上に頭を乗せている。

「飛行機は夕方には正常運航にもどるらしいわ。よかったわね」

言いながら志穂子は、ベッドの端に腰かけ、腕時計をのぞく。

「札幌は何時に発《た》つつもり？　雪のために交通渋滞になるかもしれないけれど……タクシーで高速を通ってゆくのでしょ。六時、いえ五時半には千歳にむかったほうが安全かもしれない」

それまでには、あと残り三時間だった。

正樹は身じろぎもせずに、天井を見あげている。

やがて抑揚《よくよう》なく言った。

「志穂子、俺たちのこの八年間は何だったのだろうな」

「友だち関係、でしょう」

「友だち、か。いい言葉だ。あいまいで、都合がよくて、すべてをきれいにごまかしてくれる。たとえ性的関係があったにしても」

志穂子はさりげなく話題を変えた。

「カナダではどんな仕事が待っているの」

「具体的な仕事なんてない。おやじが、将来カナダで事業をするための視察、それが一応の理由づけだが、実際は遊び暮らすだけの毎日だ。別にカナダでなくとも、ニューヨークでもオーストラリアでもかまわなくて、とにかく、しばらく札幌にはいるなってことさ」

「あなたがカナダに決めたの」

「そう」

「なぜ」

「昔、きみはカナダに行ってみたい、そう言っていた。多分もう忘れているだろう。あのとき俺は冗談まじりに、カナダに必ず連れて行ってあげようと約束した。学生の頃の話だ。しかし、俺が招待する前に、きみは広尾さんから旅費をもらって、ひとりでカナダに行ってきた。きみが見たカナダの夕陽《ゆうひ》を、俺もひとりで眺めてみたくてね」

「いい所よ、カナダは。永住したくなる……」

ベッドの上に身体をのばしたまま、正樹は、やはり淡々《たんたん》とした調子で言った。

「ふたりでカナダに永住しようか。今すぐでなくても、かまわない。いつか、そうだな、きみが広尾さんと別れたときでも」

正樹が広尾の名前を口にするたび、志穂子はつらさをおぼえた。

「しかし、無理かもしれないな。きみはゼータクが好きで、ひとりの男と苦労するのは、まっぴらだと広言《こうげん》しているひとだから……無理な話だ」

正樹の口調には、あきらめと同時に、何かを探ろうとする微妙な揺れがあった。

志穂子は正樹の話の途中から立ちあがり、部屋に用意されてあるポットとティーバッグでふたつのカップに紅茶をいれた。

ベッドわきのテーブルに持ってゆく。

「あなたの婚約解消が、あんなにスキャンダル扱いされなかったなら、こういう結果にはならなかったのに。ひどいことをするものね、ああいう雑誌は」

「すべて俺がまいたタネだ」

正樹は片肘《かたひじ》で上半身を支える姿勢で身体を起こし、紅茶をすする。

「二年前、はじめて見合いをしたときは、本気で結婚するつもりだった。俺は、疲れていた」

「私のせいね」

「いや、俺の勝手でしたことさ。きみには広尾さんがいた。そうとわかっていて、いつまでもきみを追いまわしてきた。希望を捨てきれなかったんだ。だって、そうだろう？　広尾さんには家庭がある。いつかきみとの関係に決着をつける日がくる。それを待ちつづけた。広尾さんとのいざこざで、めいっぱいズタズタに傷ついたきみを、俺がしっかり受けとめてやろう、そのときこそきみは俺を必要としてくれるに違いない、そう自惚《うぬぼ》れていた」

「でも、私は広尾と別れなかった」

「きみは聡明《そうめい》な女性だよ」

シニカルなひびきがそれとなくこめられる。

「自分にとって何がもっとも適しているか、自分がいちばん望むものは何か、それをきちんと見きわめているひとだった」

「結婚を夢見ていないのは確かね」

「広尾さんとの関係が長びくにつれて、きみは苛立《いらだ》つどころか、どんどん落ち着きと余裕を持ちだした。いつのまにか俺は錯覚しはじめた。きみが人妻で、俺は、きみの亭主の目をぬすんで会っている男、そんな気がしてきた」

あれはゲームに似ていた、志穂子はあの二年間を振り返る。正樹が見合いをする前のことである。

広尾との別れなど考えもしなかったのに、当時の志穂子は、正樹に呼びだされるまま、ひんぱんに街中《まちなか》で会っていた。

きょうのように平然と腕を組み、人目につくホテルのレストランや、広尾が医者仲間と行きそうなシャンソン・クラブなどに臆面《おくめん》もなく出入りしていた。

ふたりで利用するホテルにしても、きょうのように街の中心部にあるシティホテルを選び、サングラスで顔をかくすこともしなかった。

広尾と別れようとは考えなかった。

同時に、正樹と睦《むつ》まじくしている光景を、広尾に目撃されてしまったならというおびえも消えていた。

あの頃の志穂子は、しいて何も考えまいとした。

広尾に正樹のことが知られたなら、そのときはそのときだった。

いや、私は広尾に知ってもらいたかったのだ、志穂子は今になって、それを認める。

正樹も言ったように、奇妙な二年間だった。

あの二年間、正樹は苦悩しているようには見えなかった。むしろ「人妻」の志穂子を誘惑している男を演じ、そのスリリングさを味わっていたのではなかったのか。「彼に見つかったなら」、「広尾さんに勘づかれたなら」、こうした仮定の言葉を彼はしばしば口にした。悲痛な面持ちではなかった。彼はあきらかに楽しんでいた。

だが、その一方で「疲れていた」ともいう。

志穂子にしても同様だった。

正樹が見合いをすると打ち明けた瞬間、安堵《あんど》の気持が働いた。

おそらく、あの広尾の目を十分に意識していた二年間の大胆な行動は、広尾に知られ、詰《きつ》問《もん》され、新しい展開を期待していたのだろう。それでいて自分たちからは、積極的に壊《こわ》そうとはしなかった。

志穂子と広尾の関係がだめになったら自分が志穂子を受けとめる、という先刻の正樹の言葉は、もう、そういう状況はありえないだろうと見切りをつけた男が言える台詞《せりふ》ではないのか。

結婚を夢見ていない、志穂子のこの断定も、そうなっていたかもしれない、あやうい時期をすぎたからこそ、なめらかに言いきれるのではないのか。

二十代も半ばだった当時のふたりは、広尾というオトナの判断を待ちつづけていた。

正樹は紅茶を飲み終え、ふたたび、あおむけになった。

「見合いを四回して、ようやくわかったよ。きみとのつきあいの中で、俺は、もうたっぷりいろんな男をやってきた。大学の同級生、男友だち、〃人妻〃との不倫に走る男、妹をかばい、世話をする兄の役、ひとりの女を思い追いつづける哀れな男。きみとかかわって、こうまでいろんな役をやらされてしまうと、見合い相手の女性たちは、どのひともつまらなく思えてしまう。ただ、ふたつだけ、やらせてもらえなかった役がある。夫と弟、この役だ」

そして正樹は、婚約を解消したのは、そういう自分の本心がようやくわかったからだ、と言った。冗談なのか、本気なのか区別がつかない口調だった。

天井を見つめている彼の目が大きく見開かれた。

「志穂子、俺はずっときみに惚《ほ》れてきた。このままカナダに行ってしまう自分が許せなくなった」

正樹はベッドの上に起きあがった。

「最後に、俺は自分の好きなようにさせてもらうことにした」

志穂子は、鋭く自分を見つめてくる男の顔を、ひるまずに見返した。

「俺は今まで惚れた弱味から、きみの言うなりになってきたけれど、それも後悔はしていない。しかし、もっと後悔しないことにしたんだ」

正樹は電話を引き寄せた。

外線につながるゼロをまわし、次にすでに暗記してあるらしい番号を、よどみなく指で選びとってゆく。

受話器を耳にあてる。

相手がでたらしい。

「佐賀《さが》です。はい、昨夜お会いしました佐賀正樹です。お考えいただけたでしょうか……ええ、ぼくの気持は申しあげた通りです……はい、わかりました、今、かわります」

志穂子の前に受話器がさしだされた。

志穂子は、だれなのかと目でたずねる。

正樹は答えない。

仕方なく受話器を受けとった。

「もしもし」

「志穂子か、わたしだ」

広尾だった。

驚いて志穂子は反射的に正樹へ顔をむける。正樹は凝視《ぎょうし》している。

「佐賀君から聞いたよ」

広尾の声は、いつもながらのおだやかさだった。

「わたしには何も言う権利はない。彼と幸せになってくれたまえ。そうだなあ、負けおしみではなく、娘を嫁にやる気持そのままだ。せめてこの十年間の礼をこめて、ご祝儀ははずませてもらうよ。よさそうな青年じゃないか、彼は」

広尾はさらに念を押した。

「彼とは幸せになれそうかな」

志穂子は正樹を注視する。

彼はもはや二十二歳ではないのだった。

八年間、自分に寄り添いつづけて三十歳になってしまったのだった。

なぜ私もまた正樹からはなれようとしなかったのか。

一瞬のうちに志穂子はそうしたことを念頭に走らせた。

「彼とは」志穂子はきっぱりと答えた。

「必ず幸せになります」

電話をきった志穂子に正樹は、昨日の夜に広尾に会いに行ったことを告げた。

争いを好まない志穂子の意を汲《く》んで、精一杯の冷静さで広尾に嘘《うそ》を言った。

ふたりが知りあったのは、ごく最近のこと、そこで広尾の存在を打ち明けられた、彼女は迷っている。自分としてはどうしても結婚したい、了承してくれるだろうか。

「広尾さんは紳士だった。俺は感謝している……志穂子、怒っているか。俺のやり方が強引すぎて」

「感心しているわ」

志穂子の口もとに笑《え》みが漂ってくる。

「あなたがそういう男のひとだとは思ってもいなかった」

「この八年できみにきたえられたからな。しかし、これでようやく夫の役も与えられた」

「弟の役はこれから……」

「いや、もうやらせてもらったよ。わがままいっぱいの弟は」

正樹は、業界誌に載った婚約破棄のスキャンダルは、自分から売りこんだのだ、そうこともなげに語った。

もちろん、ひとを介してのことである。

「どうして、そんなことを」

志穂子はあきれはててしまった。

「きみが憎らしかったからだ。あの記事のポイントは〝女友だち・S嬢〟。活字の中に、ああいう形できみを閉じこめておきたかった。子供っぽい発想だろう?」

「でも、あなた自身の汚名にもなることよ」

「ああ、承知していた。俺は自分もこらしめたかったんだ。八年間、じつにだらしのない男だった自分に腹が立ってね。これもまた子供の発想さ」

正樹はそう言ってから、真顔になった。

「あらたまって言わせてもらう。志穂子、俺と結婚してくれるか」

志穂子はうなずく。

「あとからカナダにきてくれるか」

ふたたび、しっかりとうなずき返す。

正樹と結婚できるとは考えていなかった。

それは八年前、彼から思いを告げられたときから、あきらめていた。

すでに当時の志穂子には、広尾というパトロンがついていたからだった。

まだ学生だった志穂子と開業医の広尾との関係は、遊びとしかいいようがなく、金銭的援助を受けるうしろめたさなどまるでなかった。

金に困っている学生ではなく、志穂子は、ただ遊ぶ金、贅沢をしたい気持、高価な洋服やアクセサリーがほしくて、広尾に身体を提供した。

正樹と親しくなり、彼に惹《ひ》かれる度合が深まるほどに、志穂子は売春婦まがいの自分を恥じた。はじめて罪の意識にとらわれた。

けれど、そうしてしまった自分は消し去れないのだった。

すてばちな気分で、正樹にそのことを告白した。

正樹は責めなかった。あるがままの志穂子を受け入れようとした。

その寛大さが、いっそう投げやりな気持におちいらせた。

年月とともに、どこかが麻痺《まひ》していった。

自分を卑下《ひげ》する前に「ゼータク好きな女」「結婚したくない女」というレッテルを自分ではりつけていた。正当化した。広尾に面倒を見てもらっているこの状態が、もっとも快適なのだと、自分を肯定しつづけた。

正樹がいつ自分からはなれていっても仕方がない、そう覚悟してきてもいた。

しかし、彼は寄り添い、非難めいた言葉さえ口にしなかった。

「なぜ、ずっと私のそばにいてくれたの」

志穂子は自分の目から、りきんだものがはがれ落ちてゆく感覚を味わいながらたずねた。

「きみはあぶなっかしくてね。広尾さんと俺とで守ってやらなくてはと思っていた。でも、それは二十代の若僧の考えで、今はもう広尾さんはいらない。俺ひとりで大丈夫だ」

志穂子は思いきって言った。

「八年間、あなたを愛しつづけていたの……」

正樹はにやりと笑い返す。

「いや、俺の愛情のほうが、ずっと強くて、ハンパじゃなかったぜ」

正樹の体がふいに何倍ものたくましさをおびてきたように感じられた。

仮《か》睡《みん》

シャワーをあびた身体に、ホテルのバスタオルを巻きつけて部屋にもどってみると、佐村《さむら》はダブルベッドの上に大の字になっていた。

目は閉じられ、ホテルのバスローブを着た胸は規則正しい呼吸音とともに上下をくり返しつづける。

和可子《わかこ》は声をかけてみた。

反応はない。

以前にもこうしたことは何回かあった。和可子がシャワーを使っているほぼ十分ぐらいのあいだに、椅子やベッドの上でうたた寝をしてしまう。

しかし、和可子が近づいてくる気配や、そばに立っただけで、佐村はすぐに目をさました。睡魔におそわれながらも、自分が、今だれと、どこにいるのかを意識のすみにきっちりととらえていた。

それが立てつづけにここ四、五回ほど、うたた寝ではなく熟睡になってしまった。和可子に名前を呼ばれ、あわてて目ざめるのだ。

今夜も声をかけても身じろぎもせず深々と寝入ってしまっている。

ほどけかけたバスタオルの端を、ふたたびきつく身体に巻きつけ、和可子はカーテンを引いたベランダぎわの肘掛《ひじか》け椅子に腰かけた。目の前のガラスの丸テーブルの上には、佐村の煙草とライターがのっている。

一本くわえ、火をつける。

バスローブの袖口《そでぐち》からはゴルフ焼けした腕がのぞいている。裾《すそ》からでている足は、それとは正反対に生白い。

和可子は煙草のけむりを吐きあげながら、佐村の足からゆっくりと視線をそらす。

いっぺんも陽《ひ》にさらしたことのないようなその足の生白さに、かすかな嫌悪《けんお》を感じたのだった。それは若いひとびとのけがれのない色白さとは異なり、ふやけきった死者の皮膚を連想させた。妙に薄汚ない。

だれにともない腹立たしさにとらわれ、和可子は火のついた煙草を手荒く灰皿の底でもみ消す。

佐村とこうした関係になってから一年半になる。

そのあいだに彼は五十五歳の誕生日を迎えた。

身体の関係を持った当初から、佐村にはホテルでうたた寝をするくせがあり、それは三十三歳の和可子を驚かせた。

女性とホテルにやってきて、その女性がシャワーをあびている、ほんの十数分を利用して寝入ってしまう男性など、これまで和可子は知らなかった。

しかも、ちょっと仮眠をとる、と断わるのではなく、佐村の場合は、彼自身も気づかぬうちに、うたた寝をしてしまうらしいことが、和可子にはいっそう不可解に感じられた。

だがそれは結局、年齢にともなう肉体の衰《おとろ》えの兆候、そうわかったのは、つい最近のことである。

考えてみれば、二十二歳上の佐村は、和可子のまわりに出没する男たちの中では、いちばんの年長者だった。もちろん妻も子供もいる。会社ではかなり重要なポストについてもいた。

今年の夏は全国的に猛暑がつづき、和可子と佐村が住む札幌も例外ではなかった。

札幌では冷房機《クーラー》は一般の家庭には、ほとんど設置されていない。日中いくら暑くても、夜になると涼しくなるのが例年の夏の札幌で、暑くて寝苦しい、眠れないといった話はめったに聞かない。扇風機を使うのがせいぜいである。

それが今年は七月から真夏日がつづき、八月いっぱいはうだるような暑気《しょき》、さらに残暑がなかったはずの札幌の街は、九月に入ってからも長く夏の気温を引きずり、暑さ負けで病院通いをするひとも少なくなかった。

ふた月前の八月、やはり札幌市内の別のホテルで逢ったとき、佐村はしきりと、この夏はこたえる、と口走り、昨年の夏とくらべて体力の低下を訴えた。

和可子も暑さには弱い。毎年、夏になると食欲が減退して、数キロは痩《や》せる。だから佐村のぼやきも、あまり気にとめなかった。和可子にしてみれば、札幌の夏は、今年にかぎらず、いちじるしく体調をくずす季節だったからである。

その夜ホテル内の日本料理の店で食事をはじめたときだった。

佐村はアルコールにそう弱いほうではなく、しかも、いつもの飲みなれたウイスキーの水割りのグラスを手にしていた。

二杯目がからになる頃、ふいに佐村の呂律《ろれつ》があやしくなった。話し方もまわりくどくなり、それは、あきらかに酩酊《めいてい》の状態といえた。意外な急変ぶりだった。

和可子はとまどいながらも、料理に箸を進ませ、その一方で用心深く佐村の様子をうかがっていた。

佐村は、やはりすっかり酔っていて、それはほろ酔いを一挙にとびこえた酔っぱらいのゆるんだ、だらしのない口調だった。声が少しずつ大きくなってゆくのにも閉口した。

和可子は早々に食事をきりあげ、ホテルの部屋に佐村を連れ帰った。

ソファに深く沈みこんだ彼は、やや酔いがさめてきたようだったが、シャワーをあびる気力はなく、和可子に先にシャワーを使うようにと、やはりまわらぬ舌で言った。

そして、和可子が十分ほどしてバスルームからもどってくると、佐村はソファの上で熟睡していたのだった。

夏の暑さのせいで、すっかり体調のバランスが乱れてしまったのだろう。和可子はそのまま佐村を三十分ほど寝かせておいたのである。

ところが、その夜以来、佐村と逢うたびにこのパターンがくり返されることになってしまった。

残暑のすぎた九月のなかば、秋の風が街中《まちなか》を吹き流れだした十月の初旬、紅葉のまっさかりの今、佐村は相変らず和可子と逢うなりウイスキーのグラスを手にする。たがいの仕事の都合で、それぞれがすでに夕食をすませてきた場合もあれば、ホテル内で一緒に食事をすることもある。

いずれにしても佐村は一日の仕事の区切りをつけるようにウイスキーを飲む。二杯グラスをかさねたところで、突然の酔いが彼をおそってくる。舌がなめらかさを失う。

佐村には自覚がないようだった。

自分が他人の目には完璧な酔っぱらいとうつっているとは思わず、彼自身は、くつろいだ、陽気な、ほろ酔いに身をまかせているると思っているのかもしれない。

だが和可子はうんざりだった。

たった二杯の水割りで理性を半分奪い取られ、さらに、かつての自分の酒量に自信を持っている彼は、二杯ではけっしてやめようとはしない。それでいて、自分がもう相当にできあがっているという冷静な判断も忘れ、ますます酔ってゆく。

酔った佐村とのあいだには、ろくな会話も成立しなかった。

酔っぱらった者がたいがいそうであるように、佐村は一方的にしゃべり、その内容は不満や愚痴《ぐち》、これまでの輝かしい実績の自慢、会社や世の中に対する嘲笑《ちょうしょう》や批判などが、意味のない笑いでその毒味を薄めながら、とりとめもなく語られてゆく。

その合間に、和可子にしつこく同意を求めてくる。

「な、そうだろう？」「そう思わないか？」

やがて三杯目を飲みほした佐村は、呂律どころか目の焦点もあやしくなり、和可子の苛立《いらだ》ちと忍耐も限界に達してしまう。部屋にもどるように、佐村をうながさずにはいられない。

そして和可子がシャワーをあびている短い時間、佐村は眠り、声をかけて起こすまで目をさまさない。

ひと眠りしたあとは、多少は元気を回復するのか、彼はバスルームに行き、シャワーの音をひびかせはじめる。

不思議なことに、ベッドの中での彼の体力は、あれほどウイスキーに占領されてしまった脳とは違って、以前より衰えたとは、とても思われない快調さだった。

だが和可子は、そこにいたるまでの佐村の「お守《も》り」としかいいようのない時間が、たまらなく苦痛になってきていた。その苦痛はベッドにまで持ちこまれ、いくら佐村の肉体が快調であっても、それに心地良く反応はできなかった。


目の前のダブルベッドで佐村は眠りつづけている。

バスローブ姿ではあるけれど、例によってシャワーはまだ使っていない。

ベージュ系の、目にやさしいベッドカバーの色をぼんやりと見つめているうちに、和可子は肌寒さをおぼえてきた。バスタオルを巻きつけただけの恰好《かっこう》である。

バスルームのドアの反対側にあるクロゼットへ進み、佐村の背広やワイシャツと並んでハンガーにかけておいた茶色いスーツを取りだす。

クロゼットの内側の棚には、予備の毛布が透明なビニール袋につつまれて置かれてあった。

和可子は肩ごしにうしろを振り返り、バスローブの袖や裾からでている佐村の手足に視線を走らせ、棚から毛布を引きおろす。

毛布を佐村の身体にそっとかけてから、物音を立てないようにしてスーツに着替えはじめた。

佐村の寝息が深くなった。やはり、バスローブ一枚では眠りながらも身体は寒さを感じていたのだろう。

スーツを身につけ、つや消しのゴールドのネックレスとイアリングもつけ終えた和可子は、電話の置かれているベッドわきのサイドテーブルの上からメモ用紙とボールペンを持ってきて、ふたたびベランダぎわの肘掛け椅子に腰かけた。

自分たちの関係はきょうかぎりにしたい、そういう内容を書くつもりだった。

実際のところ、この言葉は八月に言うつもりでいた。それがなんとなくきりだせずにいたのは、たった二杯の水割りで、だらしなく酩酊してしまうようになってしまった佐村の中の「老い」を感じてしまったからだった。

五十五歳にして「老い」とは残酷かもしれない。

けれど、和可子が目《ま》のあたりにした彼のあの酔い方は、老化現象のひとつのはじまりとしかいいようがなかった。

佐村に何気なく、この夏の暑さ負け以外の身体の不調さをたずねてもみた。水割りの一杯目が半分もへっていない、まともな話し方をする彼に、である。

佐村は揺れのないまなざしで上機嫌に答えた。

「いや俺もこの夏のまいり方で少し心配になって、身体のあちこちを検査してもらってね。その結果、まったくの健康体だとたいこばんを押してもらった」

確かに真夏のやや憔悴《しょうすい》していた顔つきは一時的なもので、次に逢ったときの彼は肌の色つやも以前と同じ柔らかさを取りもどしていた。

まったくの健康体、そう診断されたにもかかわらず、たった二杯の水割りで、あそこまで正体を失うのは、単にアルコールに弱くなったという説明では片づかない。

それは突然にやってきたのだった。

しかも素面《しらふ》の佐村には考えられないような自分への客観視がまるで欠如《けつじょ》している。

かつての彼なら必ず言ったものである。

「すまない。俺、少し酔ってしまったようだ」

だが、このふた月間、そうした言葉は一回も聞いたことがなく、気がついた瞬間には、もうべろべろの状態におちいっている。

まさしく、一瞬後にそれは佐村におそいかかり、その直前まで彼は正気だった。

ほんの一瞬、ひと呼吸で、あっけなく酒精《アルコール》にのみこまれてゆくその豹変《ひょうへん》ぶりは、佐村の人格そのものまで崩壊させてしまうのではないかと、最初の頃、和可子は不気味さをおぼえた。

けれど、突如としておそってくる泥酔以外、佐村にはこれといった変化は見当らなかった。

「老い」の前ぶれは、どうやらここまででストップし、安定したらしい。

身体のあちこちを検査したと佐村は言っていたけれど、脳まで綿密に調べてもらったのかどうか、和可子はききそびれていた。

もしかすると脳の毛細血管が、ほんの少しずつ切れてしまったのではないのか。生命にかかわるほどではないにしても、肉体のどこかを鈍麻《どんま》させ、麻痺《まひ》させるような、ごく小さな障害——。

佐村の前で、その想像は口にはだせなかった。彼にはまったく自分の変化についての自覚はなく、そして、それこそが「老い」の前兆そのもののような気がした。

メモ用紙とボールペンを手に、和可子は彼にこの別れをどう納得してもらえるかと考えあぐねた。

彼の「老い」にショックを受け、それがどの程度までのものなのか、どこかで見定めなければ安心できない気持から、ふた月も引きのばしてしまったのだが、和可子はこの夏のうちに身辺の整理をしてしまうつもりでいたのだった。

この数年間、和可子には恋人と呼べる相手はいなかった。

そのかわりに何人もの男たちがいた。

佐村にしてもその中のひとりでしかない。

複数の男との関係は和可子の投げやりな私生活がまねいた結果だった。

どこにでもある、けれど和可子にしては、かなりの打撃だった失恋は、息をするにもつらさを感じるような月日がすぎたあと、異性を見る目を、まるで違ったものにしてしまっていた。

それは愛情の対象ではなかった。

気晴しであり、退屈しのぎであり、ひまつぶしであり、寂しさしのぎとなっていた。

よほど生理的に受けつけない相手をのぞいて、和可子は気軽に誘いに応じたし、気軽にこちらから声をかけもした。

もてる、もてないという話以前の、もっと低級なレベルでの男女の接近は、プライドや見《み》栄《え》をすて去ってみると、予想外に簡単なことだった。

和可子のように異性をとらえている男たちが、信じられないくらいたくさんいた。

考えてみれば当然だった。

風俗営業の店やセックス産業を支えているのは、そうしたものを必要とする男たちがいるからこそであり、そこに金銭も愛情もからませずに、ひらたくいえば、もっと安あがりに相手になってくれる女は、かれらにとっては願ってもないことである。

事実、和可子は、ベッドを共にした男たちから何も要求しなかった。そのことを、むしろ薄気味悪がって二度と逢《あ》おうとはしない男もいたし、いっそう関心をいだく男もいた。たとえ、ゆきずりの関係でも相性のよい男もいたし、和可子に愛情めかした言葉をささやきはじめる男もいた。

だが和可子にとって、所詮《しょせん》、男たちは、単調な会社勤めの生活に、いっとき彩《いろど》りをそえてくれる存在にすぎなかった。

疲れは昨年の暮あたりから徐々《じょじょ》に感じはじめていた。

だれも愛せないというむなしさが、いつのまにかホコリのように積みあげられ、そのホコリは和可子の内側にうずたかくたまっていて、いくら深呼吸をくり返しても、ホコリは和可子の内と外をただでたり入ったりするだけだった。

ルーズで投げやりで何人もの男たちとかかわる生活も、馴《な》れてしまえば、また別な退屈さをうみだしてくる。

その退屈さからもホコリは生じてきた。

今年の春、和可子はあらためて現在の自分の身辺にいる男たちをかぞえあげていってみた。思っていた以上の人数だった。

ひと月かふた月にいっぺん逢うぐらいの男たちなのに、それが一年、二年とながくつづいている。

結婚、を理由にすることにした。

逢う男ごとに、それを口にし、別れを告げた。

どの男も物わかりよく了承し、いざこざにまでは進展しなかった。

和可子がかれらのだれひとりとして愛情を持たなかったと同様に、かれらのだれひとりとして和可子を愛してはいなかったことが、痛快なくらい立証された。

男たちすべてと話をつけ、きれいに別れ、そして最後に残ったひとりが佐村である。

佐村は、男たちの中では「最レギュラー」といえた。

かかわった年数では佐村より長い相手もいたけれど、和可子に電話をかけてきて逢った回数は彼がもっとも多かった。

ダブルベッドの上では佐村が安らかな寝息を立てていた。

和可子は自分の迷いを滑稽《こっけい》に感じた。

他の男たちにそうしたように、メモ用紙には、結婚する、とだけ書けば事たりる。それがへんにためらわれて仕方がなかった。

佐村の「老い」のきざしを、この目で見てしまったからかもしれない。「老い」にむけて進んでゆくしかない相手に、嘘とはいえ「結婚」の文字をつきつけるのは、じつに酷なようで、良心が奇妙に痛む。

しかし佐村自身は、自分の変化を意識していないのだから、和可子がそこまで気をまわす必要はなかった。

あれは偶然でしかない、和可子はそう自分に言いふくめる。

佐村と逢った八月のあの夜、和可子はその日かぎりで彼との関係を清算するつもりでいた。もちろん結婚を口実にする。

ところが、佐村の、たった水割り二杯の酩酊ぶりにでくわし、話をきりだせなくなってしまった。そのまままきょうまでふた月もすぎている。

和可子は気持がさだまらない状態で部屋の中を見わたした。

ベッドカバーのベージュを基調色にして、クリーム色の壁紙、濃い緑の別珍《べっちん》を張った肘掛け椅子、クリーム色のカーテンなど、上品に、居心地よい配色だった。

思い返してみると、佐村はこの一年半、和可子を、いわゆるラブホテルにつれて行ったことがなかった。つねに街中のサービスのゆきとどいたホテルを予約し、ホテル内の飲食店を利用する場合も、周囲をうかがう素振《そぶ》りや小心さを示したことはない。いつも自然体で、それでいて堂々としていた。

恋人と思っていたのだろうか、和可子は今になってはじめて疑問がわいてきた。

もちろん佐村は、和可子の男性関係は知らない。どの男にもそれは黙っているのがルールだろうと、それらしきほのめかしさえ避けていた。

しかし和可子は佐村を恋人とは思ってもいなかった。だいいち特別な感情さえ持ったことがない。加えて、相手が自分をどう思っているのか、いちいちたずねもしないできた。

かかわっていた男たちは、その大半がラブホテルかモーテルを利用した。金銭的に余裕がある、なしにかかわらず、和可子をつれて行く所はそこだと、あたまから疑いもせずに決めつけているらしかった。

佐村みたいに一貫して、こうした街中のシティホテルに案内する男は、おそらくほかにはいなかったはずである。

もし彼が自分を恋人と見なしていたのなら、結婚という言葉は、あきらかに傷つけてしまうに違いない。

しばらく思案してから、和可子はボールペンを握り直した。

「静かに暮らしたくなりました」

紙片に書いた文字を読み返す。

気持はその通りだった。

だが、何か物足りない。

佐村にではなく、自分にむけて和可子は書き加えてみる。

「乱れた生活に疲れました。三十三歳にもなって」

そこまでつづけて、ふいにうつろさが胸に広がった。

そう、三十三にもなったのに、私は何をしているのだろう。

結婚への切実な望みは、いつのまにか、きれいに消えはてている。

おびただしい男たちとつきあってきたこの数年間は、むなしさを確認するだけだった。

一体どうして、あんな生活が送れたのだろう。

自分をどんどん安売りして、私はその先に何を見ようとしていたのか。

いや、もしかすると「何もない」ことを体の芯《しん》までしみわたらせたくて、ああした日々を必要としていたのかもしれない。

何もない、そう見すえてしまったなら、意外とおだやかな心境になって、あるがままを受け入れ、もう若くはない自分の齢《とし》にさえもわずらわされず、ゆっくりと生きてゆけると考えたのだろうか。

それは精一杯、愛し抜いたと言いきれる恋人に去られたとき以来、その痛手から立ち直る唯一の手段として、ひそかに心の中で育ててきた知恵だった。

和可子はメモ用紙から顔をあげ、佐村の寝姿へ視線をむけた。

彼の「老い」の前兆がどの程度か、見定めて安心したかったのは本当だった。

だが心の奥では、その「老い」のあらわれ方に魅せられていたような気もする。

半分はいまいましく嫌悪しながら、あとの半分は見ていたかったのだ。

彼が自覚しないかぎり、佐村には「老い」はない。

むしろ、それは和可子にある。

たった二杯のウイスキーの水割りに、たちまちに理性を失って、しつこく、くどくしゃべりちらす佐村の「お守り」をしながら、和可子は、これから歩みはじめようとしている自分の、「何もない」人生のゆきつく先を、予習していたに違いない。

そして、何十年かたったそのとき、「お守り」はひとりもいないのだ、と自分に何回となく言い聞かせるために。そうした生き方を選ぼうとしているおのれのために。

いくつかの文字のつらなったメモ用紙を破り取り、まるめてクズ箱にすてると、和可子は、ふたたびボールペンを持ちかえた。

「しばらくは」と書いて、次の言葉の選択に迷う。

正直な気持からすると「仮死」とつづけたかった。

しかし、この言葉はあざとすぎ、いかにも大仰《おおぎょう》で気恥かしい。

ダブルベッドのほうへちらりと目を走らせてから、ボールペンを走らせる。

「しばらくは仮睡《かみん》していたいと思います。静かに、おとなしく。今、あなたが広いベッドの上で安らかな寝息を立てているように」

バスルームで軽く化粧を直してでてくると、ベッドの上に佐村が起きあがっていた。

その手には、ついさっきサイドテーブルに置いたメモ用紙が握られ、和可子をうろたえさせた。

佐村の熟睡ぶりからすると、彼が目ざめないうちに部屋をあとにできるだろうと考えていたのだった。

そして、時間を見はからって、そとからここに電話をかけ、佐村に帰宅をうながすつもりでいた。

佐村は不審なまなざしで和可子とメモ用紙を交互に眺めた。

「どういう意味なのかな。抽象的でさっぱりわからない」

和可子はあいまいな笑いを口もとにきざむ。

「その仮睡を冬眠と変えても意味は同じです」

「とうみん？」

「ええ。冬になると熊が冬眠する、あの冬眠です」

佐村はメモ用紙に目を移す。しばらく無言で見つめ入っている。

「要するに」

佐村は眉《まゆ》を寄せた。

「……別れたい、そういうことか」

和可子は答えない。それが返答になるだろう。

「俺には何を言う資格もない」

苦々しさをかみしめている口調だった。

「ただひとつだけ教えてほしい。結婚するのか、恋人ができたのか、その理由だけは」

和可子は口ごもる。

いつわりであっても、そのどちらかを理由にしたほうが佐村の気持としては納得するのかもしれない。

あるいは沈黙を守り通すのを、佐村の本心は願っているのだろうか。

立ちつくしている和可子に、佐村はとにかく椅子にすわるように言った。

「誤解しないでもらいたい。俺は、結婚するにしろ、恋人ができたにしろ、それが真実なら心から祝福する」

佐村の顔にかすかなゆがみが生じた。

「ただ以前のような生活にもどりたい、俺ひとりに縛《しば》られたくないという理由からでは、きみを手放すわけにはいかない」

一瞬、彼が何を言っているのか、理解ができなかった。

いぶかしみながら見返す和可子の視線を避けるように、佐村はベランダに目をむけた。

そして、つぶやくようにスナック「K」の名前を口にした。

和可子の表情が固くなる。

ススキノにあるスナック「K」は、一時期ひんぱんに通っていた店だった。そこにやってくる客たちの何人かと和可子は関係を持ち、やがてなんとはなしに足が遠のいた。

「俺が聞いたのはそのスナックからじゃない。ほかの店でだ。ただ〝K〟の常連だったという男がきていて、奇妙な女の話をしたことがあった。姿、恰好、すべてきみによく似ているので、俺はびっくりしてしまったよ。しかし、とても信じられない。俺の知っているきみは、あの男が言っていたような女じゃないからね」

「その男性は、その奇妙な女をどう言っていたのですか」

和可子の声は平静だった。

もう、あの生活は終っている。だれがどんなふうに噂《うわさ》しようとも平気だった。いや、最初から噂されるのは覚悟していた。自分など、もうどうなってもいいという捨てばちな気持だったからこそ、ああいう行動ができたのだった。

「その男の言葉など、俺は口にしたくもない。そうだな、その話を聞いたのは、半年ぐらい前だった」

和可子は冷淡に言い放つ。

「それであなたはこの半年間、私を観察していたのですか」

「いや」

すばやい答えだった。

「俺はきみを信じていた。もし仮にきみが実際そういう生活を送っていた時期があったとしても、きっと事情があったのだろう、そう思っていた。今でもな」

さらに佐村はこの一年半、和可子には自分以外の男はいないと信じていたのだろう。信じようとしたに違いない。

佐村はお人好しだった。無類のお人好し……胸の中であざけりながら、和可子は、それとはまったく反対の感情にとらわれてもいた。

あの「老い」の前兆が、佐村をそこまで寛大にさせたのだろうか、それとも、他人とのいさかいを怖れるぐらいにおだやかで、お人好しだからこそ、まだ五十五歳の若さで「老い」までも呼びこんでしまったのか。

ふいに哀しさがこみあげてきた。

佐村の善良さが哀しかった。

「和可子、しつこいようだが、私と別れようとする本当の理由は何なのだ？」

「そのメモの通りです。静かに暮らしたいだけ。これまでのいっさいを忘れて……」

「俺といると静かではないのか。俺はじゃま者かな」

寂しげなその口調と共に、佐村の表情は急に十歳もふけこんだようだった。

二杯の水割りが「老い」を誘いだすだけではなく、彼の「老い」はもっと深いところで着実に進んでいるのかもしれない、そう思わせる力ない顔つきに、和可子はドキリとした。

佐村の目が哀願するようなそれに変りはじめた。

じゃまではなかった。

一緒にまどろみの中を漂う相手として、彼はいちばん最適かもしれない。「老い」がすべてをあいまいに、ゆるやかにぼかしつづけてくれるのなら、今の和可子が必要としているのは、まさしくそれだった。

「お守り」をするのではなく、共に「仮睡」の中にいる、そう考えれば苛立つこともない。

これから佐村と逢うのは、ホテルではなく、和可子のひとり住まいのマンションの部屋のほうが、何かと便利だった。

二杯の水割りが引きだす彼の「老い」も、ホテルとは違って人目を気にしなくてもすむ。

和可子は言っていた。

「今度はいつお逢いできますか」

そのとたん佐村の表情は五十五歳の男のそれに変っていた。

二回目の別れ

会話がとだえた。
弓子《ゆみこ》はほっとした。
畑野《はたの》のとりとめのないおしゃべりにつきあっていた耳と目を休めたかった。
視線をベランダにむける。
畑野から顔をそむけるような姿勢を、弓子はわざと取る。
秋も終りに近い季節だった。
ベランダのそとは、すでに、まんべんなく暗くなっていた。
畑野に気づかれぬよう、正面の壁時計で確かめてみる。
小さな円形の白い時計は六時をすぎていた。
それを知って、弓子は、にわかに疲れをおぼえた。
張りつめていた気持が、急に萎《な》えしぼんでゆく。
まる五時間も畑野の相手をしていた。
疲れるのも当然だった。

話に耳を傾けるのと同時に、失礼でない程度のもてなしもした。

五時間のあいだに、弓子はふたりをへだてているテーブルの上に、ケーキと紅茶をだし、水分たっぷりの梨と柿をむいたのを並べ、緑茶をいれて和菓子をすすめ、チョコレートの小箱の封を切り、いれたてのコーヒーを運んできた。

畑野はどれにも一応は手をつけた。

食欲が旺盛なのは、恋人であった四年前と少しも変らなかった。

ベランダのそとを眺めるふうを装《よそお》いながら、弓子は畑野の出方を待つ。

早く切りあげてくれないか、と胸の中でせわしなく願いつづける。

こちらの心中を、それとなく察知してくれることを期待した。

ひとりきりになって熱いシャワーを浴びたかった。

ぼんやりとテレビを観ながら爪の手入れでもしたい。

弓子の無言にあわせるように、畑野も黙りこくっていた。

どんな表情をしているのかは、ベランダの一点を見すえている弓子にはわからない。

根くらべのような沈黙の中で、あと一歩で怒りにすり替ってしまいそうな苛立《いらだ》たしさを、弓子は苦々しく嚙《か》みしめる。

予想はしていた。

畑野は何事も自分のペースにならなければ気がすまない。

だが彼は勘違いしていた。畑野はふたりの関係が四年ぶりに復活したと思いこんでいるようだったが、弓子からすれば、いっそう壊《こわ》れはじめているにすぎない。

たくさんの思い出がガラクタのように価値を失って。

半年前に再会したとき、多少の食い違いはあったにしろ、最後には畑野のやりたいようにやらせてしまった。

そうした弓子の態度に、彼がまだ自分の入りこむすきがふんだんにあると自惚《うぬぼ》れても仕方がない。

そう、自惚れだった。

あの、半年前の再会から数日前に電話をかけてくるまで、畑野からの音さたはまったくなく、けれど、彼は弓子が自分を待っていて当り前といった顔つきで、きょうもあらわれた。

今、恋人はいるのか、とたずねもしない。

面倒なことに、畑野のその自惚れは、プライドと背中あわせだった。

彼の長居にうんざりしている気持を、ありのままに語ったなら、畑野は、手ひどい裏切りにあったような、そして、それに気づかなかった自分の鈍感さに腹を立てるあまり、蒼《あお》ざめてしまうに違いない。

人並み以上に強いプライドを、あえて傷つけたくはなかった。

なにげなく、ごくしぜんに、彼みずからが気づいてゆくしかないだろう。

きょうの日取りにしても、弓子は畑野の言いなりにはならなかった。

数日前の夜の電話で、彼はこれまで連絡しなかったのをわびるでもなく、ほがらかに言ってきた。

「次の土曜日でも会えないかな。ちょうど女房と子供を郷里に帰しているんだ」

土曜日、と聞いたとたん、弓子は身構《みがま》えた。

多分、彼はその夜は弓子の住むマンションの部屋に泊るつもりでいるのだろう。そして正午近くまで眠りをむさぼり、ベッドから起きだしてからも、ずるずると居つづけて、わがもの顔に振るまう……あの無神経さは、もはや、まっぴらだった。

半年前の再会の晩を、弓子は悔いていた。

「土曜日は都合が悪いわ」

「うーん、しかし、日曜だと翌日は勤めがあるから」

不満そうな畑野の口調を無視して、弓子はこともなげに言った。

「日曜日の午後一時ならどうかしら」

午後の早い時間にしたのは、そうすれば、もしかすると畑野は夕方には帰ってくれるかもしれないという計算からだった。

畑野は不機嫌な声で、それでも折れた。

「一時か……わかった、車を運転して行く」

そのとき彼は気づかなかったのだろうか。恋人であった以前の弓子なら、土曜日がふさがっていたにしても、どうにかやりくりして、たとえ午前零時であろうとも彼に会おうとした。

「都合が悪い」のそっけないひと言など、けっして口にしなかった。

できるだけ畑野の意に添おうとした。

その弓子が、自分のほうから日時を指定してきたとは、どういうことなのか——。

だが過去と照らしあわせて今を考えるほど、畑野には気持の余裕がないのかもしれない。

別れてから三十五歳になるまでの四年のあいだに彼は結婚し、一児の父になった。あわただしい年月を送ってきた。

少くとも、これといった出来事もないままに、三十五歳を迎えた弓子よりも忙しかっただろう。

ベランダを見つめる弓子の耳に、ライターをつけるカチリという音が伝わってきた。

深々とうまそうに煙草のけむりを吸いこむ気配も感じられた。

次に、けむりを吐きだしながら、畑野の屈託《くったく》のない声が話しかけてくる。

「夕食は、どうしようか」

瞬間、弓子は胸の中でため息をついた。

そして、すかさず自分に言いふくめる。あと一、二時間のしんぼうだ。

冷蔵庫には夕食にまにあうだけの材料が十分にそろっていた。

けれども畑野のためにキッチンに立って、かいがいしく働く気持にはなれなかった。

すでに五時間も相手をし、神経が疲れはてている。

腹立たしさを抑《おさ》え、弓子は自分を励ますように、ことさらに明るく言い返す。

「少し行った先に焼き肉を食べさせる店ができたの。車でなら五分ぐらい。夕食はそこにしましょう」

「ああ、焼き肉もいいな」

広い駐車場のある二階建ての、しゃれた焼き肉店だった。

日曜日の夕食どきのためか、駐車場の空きはかぞえるほどしかないくらいにうめつくされていた。

それでも畑野は目ざとく空きスペースを見つけ、巧みなハンドルさばきで、一回のバックで車体をおさめてしまった。両わきにとめられた他の車のすきまをぬっての見事な運転だった。

弓子は助手席にいて、思わず感嘆してしまっていた。

「相変らずお上手なのね」

そう言ったとたん、かつての甘い感情が、ほんのひと握りのそれが胸をかすめすぎてゆく。マンションの部屋をでて、外気にふれたのがよかったのかもしれない。疲れも半減されたような心地がした。

店内は混みあっていた。

ウェイターに案内されて広いフロアを進みはじめると、卓を囲んでいる客の視線が、次々に畑野に集まってきた。

人中《ひとなか》にでると畑野は目立った。

引きしまった筋肉質の長身に加えて、浅黒い肌は、一見、スポーツ選手にみなされる。また、彼には独得の華やぎがあり、どこにいても他人の注目を浴びる。

弓子はつかのま誇らしげな心境になった。

無残なくらいに壊れかけている畑野との思い出が、他人の称讃《しょうさん》のまなざしによって、かろうじて修復されてくるようだった。

他人の称讃のまなざしは、かつての弓子のそれであり、もし畑野と再会しなければ、誇らしげな思い出として一生つづいていたに違いない。

　ふたりは奥まった席についた。

　ウェイターがそれぞれにメニューを手わたす。

　弓子はメニューを広げたものの、それは形だけだった。

　こういう場合は、畑野が何もかも取りしきり、弓子はただぼんやりとうなずくだけでいい。

　だが彼はいっこうにメニューを開こうとはしなかった。

　やがてブルゾンのポケットから煙草を取りだして火をつけた。落ち着き払った様子で店内を眺めはじめる。

　弓子はあわてて畑野をうながした。

「あなた、注文の品を決めて」

　相手は不思議そうに見返した。

「きみが選ぶのじゃないか？」

「いえ、こういう所では、いつもあなたが」

　彼は薄く笑った。苦笑のように見えた。

「急にどうしたの。外食ぐらいは自分の思い通りにさせてと言ったのは、きみのほうからだろう？　いいから、好きなものを選びなさい。俺《おれ》は何を食べてもおいしいクチだから」

弓子は畑野の言っている意味が理解しかねた。

外食ぐらいは自分の思い通りにさせて……そんなことを頼んだおぼえはない。言う前に、彼が勝手に注文してしまうのが、かつての、別れる前のふたりの暗黙のやり方だった。

ふいに弓子はひらめいた。

と同時にうつむいて、顔をかくす。

まるで自分のやった失敗のように顔が熱くほてりだす。

あなた、と言いかけて、いそいであらためた。うつむいたままだった。

「畑野さん、相手をまちがえているわ」

「何を？」

「忘れているかもしれないけれど、私と外食するときは、すべてそちらが決めていたの。自分の思い通りにしたいと言ったのは、きっと奥さまじゃないかしら」

「まさか。いや、きみだよ」

笑いをにじませた、自信に満ちた口調が返ってくる。

「違うのよ、本当に」

「忘れているのは、きみのほうだろう？　他の男と俺とを混同しているのだろう？」

軽口めかしたその台詞《せりふ》に、弓子の心はきしんだ。

「ほら、妙な言いがかりをつけていないで、好きなものをどんどん注文して」

言いながら畑野はウェイターを手まねきした。

人前での言い争いはみっともなかった。たかが料理の注文の仕方ぐらいで、といさめるもうひとりの自分もいた。

注文票を握りしめて寄ってきたウェイターに、弓子は適当にいくつかのメニューを指してみせた。

内容を聞いていた畑野が、ひと通りの注文が終ったところで、つけたした。

「あと雑炊をふたつ」

「クッパですね。何クッパがよろしいですか」

「いちばん人気のあるレギュラータイプがいいな。それはまかせる」

立ち去りかけたウェイターを、弓子は呼びとめた。

「ごめんなさい。クッパはひとつにして下さい」

畑野が意外そうな声で言った。

「きみ、ずいぶんと少食になったなあ」

ここでも、また彼の妻があらわれてきた。

弓子が少食なのを彼はいつのまにか忘れ去っていた。

卓の中央にうがたれたガスコンロに火がつけられ、ロースやカルビなどの皿が運ばれてきた。

薄切りの、ひと口大の肉片をコンロにのせてゆく。けむりは、まったくといっていいほどでなかった。コンロについている装置が、肉を焼きながら、こまかくけむりを吸いあげる仕掛けになっていた。

弓子は黙々と肉を焼きつづけた。

自分が食べるよりも、畑野に食べさせるほうが多かった。

食事をすませたなら、すかさず彼に別れを告げて、部屋にもどろう、弓子はそればかりを考えていた。

彼の車で送ってもらわなくても歩いて帰れる距離だった。

後悔は、「半年前の再会」よりも、いっそう深まっていた。

半年前の失望を、さらに強く濃く固めたにすぎない。

初夏になりたての頃、畑野から勤務先に電話がかかってきたとき、弓子はとまどった。

四年の空白ののちに、突然に連絡してきた彼の気持が測りかねた。

「ひさしぶりに会いたいと思ってね」

返事に困っていると、さらにたたみかけてきた。

「今週の土曜日はどうだろう。ほかに予定はある？」

「いえ、そうではないのですけれど」

「じゃあ七時に。ええと場所は」

そして畑野は場所を言ってきた。

「ここで待っているよ。とにかく、きみが元気なのか、無性《むしよう》にこの目でじかに確かめたくなった。それだけなんだ。他意はない」

土曜日までの数日間、弓子の感情は複雑に入り乱れた。

畑野はこれまでにいちばん愛した相手だった。

婚約者がいるんだ、と彼が顔をゆがめ、つらそうに打ち明けるまでの一年と数ヵ月、弓子の生活は彼を中心にまわっていた。

彼が、結局は婚約者のもとに帰ってしまってからも、弓子にとっては畑野は理想に近い男性でありつづけた。

いっとき憎まなかったとは言えない。

けれど憎しみよりも未練のほうが強かった。

のたうつような苦しみの一年がすぎて、ようやく弓子は痛手から回復しはじめた。

支えにしたのは、美しさや楽しさの記憶ばかりで作りあげた思い出だった。

婚約者の存在をかくしていたことも、弓子を本当に愛していたための思いやりだ、と解釈し、自分と別れたのは、婚約者に対する彼のやさしさがゆえ、とみなした。

月日と共に、美しい思い出は、ますます美しくみがかれていった。

畑野と別れてから、いくつかの恋をし、結婚にゴールインする寸前までいった相手もいたけれど、最後に弓子はどうしてもその相手と畑野をくらべてしまう。

と、いうよりも、それはいつのまにか現実の畑野ではなく、美しい思い出との比較になっていた。

四年ぶりに彼が会いたいと電話をかけてきたとき、弓子は漠然とした怖《おそ》れをいだいた。

会ってしまったなら、思い出は壊れてしまうのではないのか。

その反面、自分を縛《しば》りつけている思い出を、きれいに打ち砕《くだ》いてしまいたい衝動もあった。

矛盾した気持のまま土曜日を迎え、迷いながらも、弓子は指定された小料理屋に足をむけていた。

畑野は四年前と変らぬ快活さと笑顔で弓子を迎えた。

美しい思い出は、ヒビが生じるどころか、より完成したものになりそうだった。

彼の結婚は正解だったらしい、と弓子もかつての男女関係を抜けきった公平さで祝福した。

友情に変化できそうな過去の恋人との再会は、弓子の心をぬくませた。これもまた理想的な男女のかかわり方として、美しい思い出の一ページに織りこめられるだろう。

だが数時間後、タクシーで弓子をマンションまで送ってきた彼は、アルコールの勢いにのって欲望をたぎらせた。

タクシーの中で、いきなり畑野に抱きしめられ、口づけをされた瞬間、弓子は激しい落胆と興醒《きょうざ》めの感情をいちどきに味わった。

婚約者と弓子のどちらも傷つけたくない、どうしたらよいのかわからない、そう言って目をうるませていた男がいてこその、美しい思い出なのだ。

それが、たった四年のうちに、平然と浮気をする男になっていたとは、どこにでもある、ありふれた風俗にすぎなかった。

もっと醜悪《しゅうあく》な光景は、弓子のマンションの前にタクシーがとまったときにくり広げられた。

弓子がいくら拒《こば》んでも、彼は一緒にタクシーをおりて、弓子の部屋に行くと言い張りつづけた。しばらくもみあった。

うんざりした運転手に「お客さん、早く決めて下さいよ」と苦情を言われ、弓子が恥ずかしさに身をすくめて、全身の力をほどけさすまで、彼はしつこく力ずくで弓子の身体をとらえていた。

美しい思い出は、あの瞬間に決定的な打撃を受けた。

そして、弓子の部屋に泊った翌日の、まるで恋人であった昔にもどったような畑野のくつろぎきった態度と、相手の気持をまるで無視した長居には、身勝手な自惚れしか感じられなかった。

半年前のあの夜も、彼の妻と子は郷里に帰っていた。

妻の留守をねらって会おうとするそこにも、弓子が目をそむけたい男の一面が見えかくれした。

食事の支払いを折半《せっぱん》して店をでるなり、弓子は言った。

「私はここで失礼するわ」

畑野は面くらった表情で見返した。

「マンションまで送るよ」

「いいのよ。歩いて帰るわ。じゃあ」

駐車場とは反対の方角に歩きはじめた弓子を、畑野は足早に追ってきた。腕をつかんで引きとめた。

「さっきのこと、怒っているんだろ。ごめん、謝るよ。うっかりしていた。きみの言う通り、外食うんぬんは女房の口癖だった。軽率だな、俺も。どうしてまちがえたのか」

「奥さまが留守で淋《さび》しいのでしょう」

「…………」

「私の所にきて時間つぶしをしているよりも、奥さまに電話をして、早く帰ってきてもらったら」

「とにかく車にもどろう。風が冷たい」

弓子の腕を握りしめていた彼の手に力がこもった。

思わず弓子は全身を緊張させた。半年前にタクシーで送ってもらったときの、あの乱暴な畑野の振るまいが、なまなましくよみがえってきた。

身をよじって、勢いよく彼の手を振るい落す。怒気《どき》をこめて言った。

「あなたのわがままには、もうつきあいきれないわ」

「だから、さっきの失言は謝っただろう」

「そういうことじゃないの」

「しかし、きみは俺に腹を立てている」

「…………」

「怒っているきみを、はじめて見たよ」

「あれから四年もたっているわ」

「四年なんて、あっというまだったなあ」

感慨にふけるような彼の口調が、ふいに弓子の苛立ちを鎮《しず》めた。

今とそっくりな言い方で、畑野は四年前の最後の別れの晩に、弓子との日々を振り返った。ただ黙って弓子は泣いた。思い出を、残らず美しいものにしようとする、それがはじまりだった。

「お願いがあるの」

弓子の声は冷静になっていた。

「もう私の部屋にはこないでほしいの。電話をすることも」

予想外におだやかな反応が返ってきた。

「そうか。きみにはきみの生活があるからな。わかった。そうしよう。でも今夜は、とりあえずマンションまで送らせてくれ」

畑野にそう言われてまで、弓子はさからえなかった。

並んで駐車場にもどりながら、ズボンのわきポケットに両手をつっこんだ畑野が、弓子の身長にあわせるように、背中をまるめた。

「結婚前にばかなことをしちゃってね」

「だれが？」

「俺と女房、どちらもだ。何がきっかけだったのかは、おぼえていない。しかし、言いだしたのはむこうだった。婚約中に浮気はしなかったのか、結婚するからには、おたがいに正直に告白しよう、と」

「そんな危険なこと……」

「ああ、今になってそう思う。愚かだったな。でも、そのときは本当のことを打ち明けあうのが夫婦だみたいな気持だったし、俺はきみに対するうしろめたさがあった」

そして畑野は、ありのままを語ったという。

つとめて感情をまじえず、事実だけを淡々と述べたつもりだった。

けれど、弓子との関係は、まだ十分に彼の中でろ過されてはいなかった。

言葉を選んでしゃべりながらも、次第に彼自身の心が昂《たか》ぶってゆく。所々で声がつまったり、語尾《ごび》がふるえたりもした。

畑野の婚約者は最初はびっくりした顔をしていたが、そのうち、あざけるような笑いを口もとに浮かべた。瞳にも、冷ややかさが宿りだした。

畑野の話が終り、彼女の番になった。

すると、口にはしたくない、と最初の約束を無視して彼女はきっぱりと拒絶した。

「私と彼のことは、だれにもじゃまされない、きれいな思い出として残しておきたい」

そう言ったきり、彼女は黙りこんだ。

結婚後も、彼女は二度とその思い出についてはふれなかった。

実際に、そういう「彼」がいたのかどうかも、確かめようがない。

夫婦仲は、いつ、どのようにしてか、少しずつぎくしゃくしはじめた。

子供がうまれてからも元通りにはならなかった。

彼女はことあるごとに、弓子の件を持ちだしてきて、嫌味を言ったり、当てこすったりもした。

畑野にしても、自分の妻が他の男と共有しているらしい「きれいな思い出」が、何かにつけて気持のわだかまりになった。

話が一段落したとき、畑野は車の運転席に、弓子は助手席にすわっていた。

「そうこうあって、女房は今年の正月に実家に行ったきり、帰ってこない」

すると自分と再会する前になる、弓子はぼんやりと頭のすみで考えた。

畑野は、いっときの里帰りのような、こともなげな口ぶりで言っていたけれど、内心は深刻な状態においっていたのかもしれなかった。

「俺は頭をさげてまで女房を迎えには行かないよ」

車は駐車場をすべりでた。

Uターンをすると、そのままマンションにつづく道路だった。

弓子は慎重に口をつぐんでいた。

「ただ子供の問題がある。俺は子供を手放したくない。そして女房も同じように思っている。だからそれさえ片がついたら、離婚もやむをえないだろうな。きみは同じ女として、どう解釈する？　女房のきれいな思い出とやらを」

「わからないわ」

「俺に遠慮せずに率直に言ってくれ」

「本当にわからないのよ」

抑揚《よくよう》なく答えながら、弓子は自分の「美しい思い出」作りを反芻《はんすう》していた。

「俺は、あれは女房の夢物語だとみなしているんだが」

「夢物語？」

「ああ。具体的にどういうことがあったのかは知らないけれど、女房は俺の打ち明け話に対抗して、自分をヒロインにしたおとぎ話を創作した。あるいは、でっちあげようとした。俺に対抗してね」

でも、まったくの嘘《うそ》でもないかもしれない、弓子はそう思ったけれど、言わずにおいた。

「女房の古くからの友だちにも、それとなくきいてみたけれど、だれもが否定するんだ。女房をかばっているのかもしれないと疑ってもみたけれど、どうもそうでもないらしい。だから、あいつのきれいな思い出なんて根拠のない話としか思われない」

「そこまで嘘だと見通しているのなら、奥さまのこと、許せるでしょう」

「いや、あの頑固さが腹立たしい。嘘だとは、けっして認めようとしないのだから。あそこまで強情だとは思わなかった」

弓子の内側で、しきりにうごめくものがあった。

自分がもし彼の妻の立場だとするなら、どんなふうな「きれいな思い出」をこしらえるだろう。

車は、ほどなくマンションの玄関前についた。

反射的に弓子は言っていた。先刻までの気持とは、まるでうらはらだった。

「お茶でも飲んでゆく？」

畑野は意外そうな面持ちになった。

そして、うっすらと頰《ほお》に笑《え》みを浮かびあがらせた。

「俺と一緒にいるのは苦痛なんだろう？」

「苦痛だなんて、そんな」

「俺にとっては、きみとのことは、それなりにきれいな思い出だった」

「私も同じよ」

畑野は満足そうにほほえむ。

「俺は半年前に思い出に会いにきた」

「思い出に？」

「会ってすぐは、それは以前と同じだった。だが、やっぱり違ってしまっていた」

弓子は畑野から挑戦を受けている心地だった。

彼の視線をはぐらかすまいとする。

畑野は微笑をたやさなかった。

「俺は自惚れていた。きみがいまだに独身なのは、俺が原因なのか、と。だが、きみは表面上は俺を拒否しないのに、妙によそよそしい。昔なら、何時間でもふたりきりでいても、少しも退屈じゃなかった」

「何を言いたいの」

「こう見えても、俺は過去にこだわる男なんだ。ずうっと、こだわりつづけてきた」

畑野の目に、鋭く、とがったものが走り抜けた。弓子はたじろいだ。

「半年前に俺は納得した。きみにとって俺はもはや退屈な男なんだ、と。それなのに、しばらくすると、ふたたびいい思い出しか残っていない。俺は思い出に支配されたくなかった。だから、もう一度この目で事実を、きみを確認したくて、やってきた」

「なぜ、そのことを、あえて私に言うの」

「聞いてもらいたい」

「お願い、聞かせないで」

弓子は助手席のドアを開け、路上にとびだした。

一目散にマンションに駆けこむ。

畑野のなかの思い出は、多分、憎しみに変りかけているのだろう。

口で言う以上に、彼は妻と子を失うのを怖れ、ねじまげられた形で弓子をさかうらみしている。

彼の目をよぎっていった鋭いものは殺意をはらんでいた。

この部屋での、ふてぶてしく鈍感な態度、焼き肉店で弓子を妻と錯覚した言葉、どれも畑野はどこかで自覚しながらも、そちら側へさそわれていっているようだった。

自分で自分をコントロールできなくなっているのかもしれない。

畑野にそこはかとない同情を寄せながらも、弓子はひっそりとほくそ笑む。

美しい思い出は壊れずにすんだ。

どたん場にきて、見事に持ち直した。

畑野の、あの狂気じみたまなざしこそ、思い出を美しくしめくくってくれる。

過去に復讐される男、しかも妻におのれの過去を洗いざらい打ちあけてしまったがために家庭さえ失いかけている男。

そう、彼の妻がけっして許そうとしないぐらいに私たちの思い出は美しいものだったのだ。

ドアに鍵をさしこみ、部屋に入る。

畑野に教えてやるべきだったろうか、弓子は鼻歌をうたいながら、ちらりと考え、そして、すみやかに忘れた。

彼の妻の「きれいな思い出」の相手は、畑野その人にほかならない。

弓子と知りあう前の、いっさいの汚点のない相思相愛の仲であった畑野。

彼は自分自身に嫉妬《しっと》しているという、滑稽《こっけい》な話だった。

ひとりきりの、のびやかな空間の中で、弓子はシャワーを浴びるために、服を脱ぎはじめた。

畑野をもてなしたテーブルの上が、ひどく乱れ、床にまで及んでいる。

紅茶カップ、ケーキ皿、湯のみ、果物の食べかけ、チョコレートの包装紙、コーヒーカップなど、どれひとつとしてキッチンにさげられずに、テーブルとそばの床にちらばり、それは無残にも、異様な汚れ方だった。

かつて、あれほど清潔好きだった弓子からは想像もつかない室内の散乱ぶり……けれど弓子は、まったく気にかけずに歩きながら服を脱いでゆく。床に置かれたチョコレートの小箱を平然とふみつける。

美しい思い出だけで頭の中はいっぱいだった。

プワゾン

男は約束の時間より三十分遅れてあらわれた。夜の七時半だった。

私の目の前にいた乃理子《のりこ》の表情は、男の姿を見るなり、たちまちにやわらいだ。憑《つ》きものがはがれおちたような見事な変貌《へんぼう》だった。全身の強張《こわば》りも、あっけなくとけ、そこにあるのは、体ごと男によりそってゆこうとする三十五歳の、あられもない媚態《びたい》だけである。

なぜこんなにも遅れたの、乃理子はとがめの口調ではなく、甘えた声音《こわね》で男にたずねている。

私はさりげなく目をそらせた。すでに声から欲情しているような乃理子は醜《みにく》かった。

ウェイターが男の注文をききにきた。男は眉間《みけん》に不機嫌さを宿らせながら、ぶっきら棒にコーヒー、と吐き捨てる。乃理子がはしゃいだ声で、自分と私のコーヒーのお代わりを頼む。

——彼女、私の学生時代からの親友なの。

乃理子が私のことを男に説明している。しかし私は彼女の親友とはいえない。同じ女子大学のクラスメートの中で、数少なくなっている未婚者《シングルス》に、乃理子も私もふくまれる。

おたがいの勤務先が近い、それだけで乃理子はしばしば私に電話をかけてきては会いたがる。その程度のつきあいだった。

——このホテルのロビーで偶然に彼女に会ってね。それであなたがくるまで一緒にお茶を飲もうと。

それも嘘《うそ》だった。

乃理子は以前から、私を現在の相手であるその男と引きあわせたがっていた。第三者の目からすれば彼はどんな男に見えるか、その評価が聞きたいらしい。

すでに乃理子の話から、男は逃げたがっている、と私は感じていた。

いつもながらに今回の男も妻帯者《さいたいしゃ》だった。子供もふたりいるという。

これまでにも乃理子は私に腹立たしく語っていた。彼はデートの約束の時間にきちんとやってきたためしがない。何の連絡もなく、すっぽかされたことも数回ある。デート代のすべてを乃理子が負担した日も少なくはない。

男を待つ三十分のあいだ、乃理子はまたもやその話をむし返した。今夜もすっぽかすつもりかもしれないと何回となく口走った。乃理子は、つかのまの狂人になっていた。苛立ちとあせりと嫉妬《しっと》に顔をほてらし、それらのさまざまなどす黒い感情が、目尻や眉頭《まゆがしら》、唇の端にゆがんだ線となってきざまれ、形相《ぎょうそう》がふだんのそれとはまったく変容していたのだった。

だが、男があらわれたとたん、乃理子の顔面のあちこちにコブのようにはりついていたゆがんだ突起は、急速に消滅した。かわりに、しどけない膜がその全身にゆらめきでてきた。乃理子のうちの鬼とおんなを、たった数十分間で、私はたっぷりと見せつけられた。不気味なほどの表裏《ひょうり》一体だった。

二杯目のコーヒーが運ばれてきた。カップを手に、私は男に視線をむける。

乃理子と並んで椅子にすわっている彼は、うつむきがちだった。それは女と会って心はずませている男の表情とは正反対の固さを張りめぐらせていた。彼はあきらかにうんざりしている様子で、この場に耐えている。

乃理子は、そうした男の雰囲気に気づかないのか、気づいても、とにかく会えたことだけで有頂天《うちょうてん》になっているのか、男にしきりと話しかけつづける。

男は上目《うわめ》づかいでちらりと私を見た。私はいそいで目をそらす。

男の目は、瞬間的に言っていた。座をはずしてほしい、妻子ある自分と乃理子のこの関係はだれにも口外しないでくれ。

男は中背だけれども、がっしりと厚味のある体型だった。乃理子から聞かされていた四十六歳という年齢のわりに若く見えるのは、浅黒い弾力のある肌と、引きしまった目尻のせいかもしれない。

そして、その容貌はおそらく乃理子と知りあった当初は、柔らかな活気をみなぎらせて、いっそう若々しく輝いていたのだろう。

残念なことに、その輝きは、今の目前の男からはひとかけらも放たれてはいない。くすみきって、よどんでいる。乃理子がはしゃぐほどに、そのよどみは、いっそう濃くなって、男の目もとに底なし沼に似た重苦しさを掘りこんでゆく。

――ね、これからどこへ行きましょうか。

乃理子の甲高《かんだか》く舞いあがる声には答えず、男はふたたび私を上目づかいで見た。

私はバッグを手に立ちあがった。

――私はこれで。

――あら、帰るの？

――ええ、用があるの。

うつむいた男の肩が、ほっとしたように上下する。

私は男にも、乃理子にも同情はしない。

ふたりでまいたタネは、ふたりだけで拾い集めるしかないだろう。

ホテルのティールームをあとにしながら、私はふたりを軽蔑《けいべつ》していた。

男を追いかける乃理子も、乃理子から逃げだせずに手こずっている男も、どちらも愚かだった。

二十五歳のときの恋愛を最後に、私はここ十年近く恋をしていなかった。

恋は私にとって、世の多くの女たちが言うほどに素晴しいものではなく、結婚にしても、ある種のややこしい契約としか考えられない。

恋をしなくても、人生の愉《たの》しみはたくさんあった。むしろ、恋への関心を排除してしまったとき、人生は別の角度から、もっと容易に生きやすくなる——。

乃理子と男から別れ、私はホテル前からタクシーに乗って、別のホテルへむかう。

仕事の疲れがたまってきた週の半《なか》ばには、私は必ずそのホテルのバーへ行く。一週間のスケジュールに欠かさず組みこまれている三十歳になってからの習慣だった。

街中《まちなか》のスナックやバーはわずらわしい。女がひとりで飲んでいると、必ず話しかけてくる酔っぱらいがいる。厚かましく、無遠慮にくだらない質問でからんでくる。

その点、ホテルのバーは気楽だった。バーテンダーやウェイターはマナーを心得ていたし、酩酊《めいてい》してわめきちらす客もいない。また、そういう客に対しては、ホテル側がさりげなくたしなめてくれる。

ホテルのバーで、白ワインをベースにしたキールを三杯、これも決まっていた。これをほぼ一時間かけて飲むうちに、私の全身はほぐされてくる。仕事の忙しさによって、外側にめくれあがっていた皮膚の感覚が、ゆっくりと内側に折りたたまれてくる。充足がもどってくる。キールの淡い酔いで、ぬくもった身体と漠然とした自信が、私の血管のすみずみまでゆきたわり、そこで私はカウンター前の丈《たけ》高いスツールからおりる。レジ台へと進む。三杯のキールがもたらしてくれるもの、それは一時間かけて取りもどす完璧なナルシシズムなことを、私はわかっている。

乃理子のキャメル色のコートからは、冷気がこぼれ落ちつづけた。彼女が立っているその箇所だけが冷えびえとして、暖房をきかせた私の部屋の空気の流れがふいに変ってしまった。

乃理子の男と引きあわせられてから十日がすぎていた。

あなたの彼への評価を聞きたい、そう言っていたはずなのに、あれ以来、乃理子からの電話はなかった。

そして、今夜、突然の訪問である。

札幌の十一月も末の夜の寒気をいきなり部屋に運び入れられて、私は舌打ちしたい心地だった。平日の夜のすごし方に私は神経質で、そのやり方をじゃまされるのは、あすの体調や気分に、おおいに影響する。すなわち仕事にひびく。私は仕事はパーフェクトでありたい人間だった。だから平日の夜は、やむをえないビジネスがらみ以外は、だれとも会わない。

室内はちょうどよい四月の春ののどかさの温度に保たれていた。私は寝酒《ナイトキャップ》のブランデーをなめながら、昨夜から読みはじめた本を、心おだやかに手にしていたのだった。就寝前の、これが私の儀式である。すでに冬用の、モケットのダークブルーのガウンにも着換えていた。

ところが乃理子が、この快適さをぶちこわしてしまった。

——くるときは必ず事前に電話してほしいわね。

私は冷淡に、ぴしりと言う。

玄関先で乃理子に帰ってもらおうとも考えた。むげに、そうできなかったのは、乃理子の表情が鬼になっていたからである。

——お願いがあるの。

乃理子のまなざしは私の背後のベランダの一点にうつろに刺さっていた。

——彼に電話してもらえないかしら。私の声だと奥さんにわかってしまう。

——もう十時すぎよ。

——でもどうしても彼に話があるの。

いつものパターンだった。

私はこれまで何回、乃理子の代わりに相手の男に電話をしてきたことか、それもただ会う約束を取りつける役目ばかりである。

乃理子は不幸な女だった。

自分のやっていることのくり返しに思いいたらないという意味で、不幸であり、滑稽《こっけい》であり、愚劣とさえ私には感じる。

彼女は二十代の頃《ころ》から、妻子ある男とばかりかかわってきた。ロマンのある男であり、尊敬できる相手であり、かつ頼りがいのある齢上《としうえ》の男という、この三つを満たすのは、どうしても既婚男性になってしまうのだという。齢下の男は、たとえ一歳の違いでもいや、そう乃理子は言い張る。

かつては、それでも忠告めいた言葉を口にしたこともあったが、途中から私はほうりだした。ただ乃理子の、つねに結末のわかっている恋愛を眺めているだけである。期待通りに、彼女の恋愛もしくは肉欲の匂いばかりする不倫関係は、たいがい二年を待たずに破局を迎えた。乃理子がうとまれ、捨てられるのも決まっていた。

――ね、お願い。彼に電話して。

乃理子は相変らず部屋のドアの手前にたたずんだまま、呆《ほう》けた視線をベランダのブラインドに押し当てて、必死な口調で私に言った。

――彼の奥さんに私のことが知られてしまったの。この前ホテルで彼に会ったでしょ。あのあと、彼から聞かされたの。奥さん相当なショックを受けて錯乱状態になって……。

夫の浮気ぐらいで錯乱するような純情な妻が現代にもまだいたとは、私には意外だった。

また疑問も生じた。

これまでの乃理子とかかわった男たちは、いずれも上手に妻に嘘をつき、家庭のいざこざにまで進展したという話は聞かない。それがどうして今回に限って露見してしまったのか。

――乃理子、おかしいわね。あなたたちのこと、奥さんはなぜ知ったのかしら。彼がしくじったの？

乃理子は黙って首を横にふる。

そうだろう、これから先、何十年と妻子を養い、社会的立場も考えざるをえない普通の男が、そんな無防備な失敗など、そう簡単にするはずがない。仮に、妻の追及に出会っても、ぜったいに自分からは認めないはずだった。しかも、ホテルで会ったあの男は、乃理子との約束を平気ですっぽかすという話からすると、真剣な気持から乃理子とつきあっているはずがない。

――乃理子、ふたりの関係をバラしたのは、あなたね。電話か何かで奥さんに言ったのでしょう。

——そう……。

乃理子は、力なく答える。

——くやしかったの……彼があんまり自分勝手で、私のことをないがしろにして……少し彼を苦しめてやろうと……ところが、さっき部屋におかしな電話がかかってきたの。支離滅裂で訳のわからないこと言いちらして、多分、彼の奥さんだと思う。

——なぜ奥さんがあなたの電話番号を知ってるの。

——私が言ったわ。彼と私とのことをあくまでも信用しない様子だったから。いつでもここに電話をしてくれれば、すべて打ち明けると。

——ばかね。

私は吐き捨てた。ルール違反、これは仕事においてもプライベートな事柄についても、もっとも私が嫌っているものだった。

——ね、電話してみて。私、不安なの、怖《おそ》ろしいの。奥さん、少しへんな状態だった。死んでやるとか言って。

ここにもうひとりルール違反者がいた。死んでやる、死にたい、こういう言葉を安直に口にする人間は、その状況がどうであれ、私には許しがたい卑劣さに感じる。

ひとはだれでも心のすみに、ひっそりと自分の屍体《したい》を積みあげている。生きつづけながら、いくたびかひとはだれも知らないところで、自分を殺し、あるいは殺され、その亡骸《なきがら》を葬《ほうむ》って現在《いま》につないでくる。いっぺんとして自分のしかばねに直面しないできた人間などいるのだろうか。自分の無残な死をくり返しながら、だから、今なお生きつづけられるのではないか。

死んでやる、そう言える者は、きっと心の中に一個の自分の屍体も持たない、幸福にも鈍感な人間に違いない。

死にたければ死ねばいいのだった。私にはこの言葉しかない。

――お願いよ。

ルール違反者が、もう一方のルール違反者におびえて、私に懇願《こんがん》していた。どちらにもルールが欠落していたがゆえに、この混乱の状態を引き起こしてしまった。それは私の価値観とは別次元の出来事であり、ルールを持たず、ルールを大切にしない者が、当然受けるしっぺ返しにすぎない。ルールを持たない者たちの勝敗は、どちらが、より情念に、あの渾沌《こんとん》としてドロついた湿地帯に呑《の》みこまれてゆくか、だろう。

私は突き放した気持で、乃理子のキャメル色のコートを見つめた。その襟元《えりもと》からのぞいている黒と茶のスカーフを眺め、次にその顔へ視線をそそぐ。

化粧気のまったくない素顔は、黄ばんだ蒼白さで、頰にはそばかすが浮いていた。私はとっさに目をそらせた。鏡にむかって自分を見ている気持がした。三十五歳の、未婚《シングル》の、心のひもじさを、かくしようもなくさらけだしているその顔は、私が巧みに避けてきた女の顔だった。

それはひとりきりで鏡の前にいるときは、けっして見えてこない顔であり、自分の同類を目《ま》のあたりにして、はじめて自分にはね返ってくる容赦《ようしゃ》のない現実であった。

私の内側に小さく鋭い憎悪《ぞうお》が芽ぶいた。二六時中、周到に張りめぐらせているナルシシズムを打ち砕かれてしまった怒りが、たちまちのうちに、もっとあくどい尖《とが》りをおびてきた。

私は乃理子の相手の男に、自分が何を言おうとしているのか、半ば意識しながら、半ば気づかぬふうを装《よそお》って、コードレス電話を引き寄せた。

──あなたはそばにいないほうがいいわ。

そう言って私は立ちあがる。

隣の寝室に入ってドアを閉め、乃理子からわたされた電話番号のメモのボタンを押してゆく。

呼びだし音が何回か長く鳴り、ようやく相手はでた。

──もし、もし。

そう若くはない、太くて低い男の声だった。

苗字を確認する。そうです、と声は応じる。

――ご主人さまは、ご在宅でしょうか。

――わたしですが。

――私、いつぞや乃理子さんとホテルのティールームでお会いした者です。十日ほど前に。

男はしばらく押し黙った。

やがて憤《いきどお》りにみちた、けれどそれを圧《お》しつぶす声音が伝わってきた。

――彼女に言ってください。もうお終《しま》いだと。先ほど家内が自殺をはかりました。

――……。

私は驚かなかった。乃理子からいきさつを聞いていただけでなく、なぜかこの男の妻ならやりかねないという奇妙な納得が、すみやかに働いた。乃理子との約束を何回となくすっぽかしても、結局、自分から別れようとはしなかった男だった。妻の逆上を前にしても、それをなだめるどころか、要領をえない、不信をいっそうあおる言動に終始していたに違いない。

――それで奥さまは。

――命は取りとめました。発見が早かったので。

――薬ですか。

――手首を、やりました。

電話をきってから、私はベッドの端に腰かけた。

自分が仕掛ける前に、動きが生じてしまっていた。男に何を言おうとしたのか、もはや曖《あい》昧《まい》になってしまい、ただ、目障《めざわ》りな存在だけがうっとうしく心にのしかかってくる。

先刻、乃理子にいだいた小さく鋭い憎悪は、したたかな根の深さで胸の奥にきらめいていた。そのしたたかさは、私がずっと以前から彼女に対して持っていた憎しみに近い感情を思い出させた。

二十代の頃は、まだそうでもなかった。

三十代に入っても数年間は耐えられた。

けれど、私たちは三十五歳だった。

私は、私のライフ・スタイルを、それなりに築きあげた。

乃理子には成長がなかった。相変らず妻子ある男性とかかわり、出口のない苦悩をかかえこみ、その折りおりに私にもたれかかってきては、私のスタイルをかき乱す。今夜の突然の訪問にしても、そうだった。

乃理子は美人だけれども、醜い。

自分自身のルールさえ確立していない。そのルールのなさで、私の生活にまで、なだれこんでくる。

乃理子には、何かが必要だった。自分で自分のルールを打ち立てなければ、これからも何回となく同じことをくり返してゆくだろう。それは私のためでもある。

コードレス電話を寝室に置き、私は乃理子の待つ部屋にもどった。

乃理子はコートを着たまま、まだ立ちつくしていた。

この部屋の、四月の気候にあわせた温度にウールのコートはそぐわない、私の神経は過敏に目に集中する。

部屋の中は、すべて私の好みで丹念に選び集めた品々でととのっている。小皿一枚でも、ないがしろにはしていない。

乃理子は不安そうに私を見つめた。私の言葉を全身で受けとめようとしていた。

私はできるだけ何気なく言った。

——彼の奥さん自殺したそうよ。たった今、亡くなったとか。

乃理子はひらたい顔になった。

次に絶叫して、その場にうずくまる。

——私が、私が、殺したんだわ。

否定も肯定もしなかった。ブランデー・グラスを手にして、私はひとくち飲む。

多少のショック療法は仕方がなかった。そうしなければ、乃理子はまたもや懲《こ》りずに同じパターンの男女関係におちいってしまう。

これをきっかけに、毅然《きぜん》とした自分のルールの必要性を痛感してほしかった。

私の思惑《おもわく》は、予想外に効果があった。

あとになって聞いたことだが、乃理子は翌日から一週間の有給休暇を取っていた。

そして一週間後の朝、小樽の海辺に、溺死体《できしたい》となって打ちあげられた。

私は通夜にも葬儀《そうぎ》にも出席したが、困ったことに、まわりが涙ぐんでいるというのに、一滴の涙も目をうるおさなかった。

祭壇の乃理子の遺影《いえい》を見つめながら、私は深々とうなずき返した。

これでいいのよ。あなたはようやく自分のスタイルを持ち、それを実行に移した。もう、みっともなく私の目前で泣き叫ぶことも、ヤケ酒を飲んでわめきちらすこともなくなった。

乃理子の遺書はなく、発作的な自殺と見なされた。その男性関係の派手さが、ひそかにささやかれはしたが、声高《こわだか》に言う者もなく、乃理子の身辺に一体何があったのか、だれも知らなかった。

男性関係が派手、という噂《うわさ》を耳にしたときだけ、私は乃理子に同情した。その肉体が炎に焼かれているときだった。

あれは、派手というイメージはない。

悲惨、のひと言だった。

ただもしかすると、乃理子は、派手で華やかな男関係のある女、のスタイルを故意にばらまいていたのかもしれない。だが私の前では、男に翻弄《ほんろう》されつづけた。度《ど》しがたくも哀れな女のひとりだった。

乃理子の死によって、私は、死後に語られる自分のスタイルとそのイメージについて学ばされた。

私のイメージするそれを、これから少しずつ準備してゆかなくては、と課題を与えられた気持になった。

もうしばらくホテルで休んでゆく、そう言う男を残して、私は部屋をでた。

男の名前は知らない。

会ったのも、きょうがはじめてである。

ゆきずりの男とベッドを共にする、これはこの数年来の、私の週末のスケジュールになっていた。

恋はいらない。

ただ男の肌のぬくみは、私がまだ十分に女であるという証《あか》しとして必要だった。年齢をへるごとに、そう証明するのは不可能になるかもしれないと考えていたが、今のところは大丈夫らしい。

しかしそれは私が男の選択を、一年ごとにルーズに妥協しているためもあった。今夜の男は初老といえた。どこにでも見かける地味な身なりである。男とは街中《まちなか》のスナックで知りあった。週末になると、私はその目的だけで、ホテルのバーではなくスナックにでかける。

男のほうからおずおずと話しかけてきた。私は愛想良く受け答えをした。男は、もうそれだけでうれしさを満面にたたえ、ようやく話し相手が見つかった、というより相手にしてもらった喜びをかくそうとはしなかった。

つまり、そういう男たちを、私は相手にしはじめている。

そういう自分が視《み》えて、そこはかとなく私の自尊心《プライド》はきしむ。自尊心のハードルを、どんどん下げていっている。

けれどナルシシズムの仕組みはおかしなもので、ベッドの中で男から言われた言葉の、耳に快いいくつかをしっかりと記憶にきざみ、反芻《はんすう》しているうちに、しおれかけたナルシシズムは艶《つや》と光沢をおびて、私をよみがえらす。

これから先、私を支えるのは、こうした、いくつかの、くだらなくも甘美な思い出であるに違いない。私の場合、それは、数少ない上等な思い出であるよりも、できるだけたくさんの、しかもちっぽけなかけらでよかった。

なぜなら、私は男を恋することも、愛することもできないからだ。自分しか愛してはいない。

それに気づいたのは二十五歳のときの、たった一回きりの恋愛で、相手には妻と子があった。異様にロマンチックで、過剰にセンチメンタルなその十歳上の男は、まだ青年期を抜けきらないいきまじめさを、ふんだんに持っていた。

彼は、私との関係で真剣に苦しみつづけた。私も彼を愛しているはずだった。

ついにある日、彼はせっぱつまった顔で私に言ってきた。

――一緒に死のう。

私にも異存はなかった。

私たちは温泉旅行にでかけた。そこで死ぬつもりであった。夜になり、男が毒薬の入った小壜《こびん》を取りだした瞬間、思わず私はあとずさっていた。

――いやよ、死にたくない。死ぬなら、あなたひとりで死んで。

その言葉は彼を打ちのめした。

私たちはそれからひと言もしゃべらず、翌朝、札幌に帰ってきた。

二度と会わなかった。

いまだに私には、あのときの自分の気持が解明できない。その直前まで、まったく迷いがなかった。それなのに、私は愛する男と死ぬことを拒み抜いた。あの一瞬の強烈な生への、自分への執着は、何だったのか。

その不可解さに立ちむかうように、私は自分の生へのスタイルにこだわりはじめた。自分で決めたスタイルから、はみだしてしまう事柄は、ためらいもなく切り捨てた。

乃理子は、その淋しさから、私に深く入りこみすぎたのだった。防《ふせ》ぎようもなく入りこんでくる彼女にうんざりしながらも、私もどこかだらしなく受け入れていた。彼女には、私が二十代の半ばにかかわった、あのエキセントリックな男の一途《いちず》さに似かよったところがあった。

だから、長いあいだ切り捨てられずにいた。だが、結局、私は十年前と同じように、自分の快適さだけを優先した。彼の妻は亡くなった、という私のでたらめな言葉に、彼女がどう対処してゆくかは二の次だった。

乃理子の死から、きょうで四十九日になる。

マンションの部屋に帰ってきた私は、さっそく寝室へ行き、いつも通りの週末の儀式に取りかかる。

ベッドのカバーをはずし、毛布もまくり、シーツがあらわになったそこに、ドレッサーの引き出しから紳士用の香水「オー・ド・スポール」を一、二滴たらす。

最初の香り、トップ・コートが立ちのぼる。その香りの、まだ生《なま》なゆらめきを胸に吸いこんでから、私は服を脱ぎ、下着も取り除いてバスルームに歩いてゆく。

頭からシャワーを浴び、このときだけ、私は自分のスタイルから解放される。身体も洗わずに、ひたすら熱いシャワーを矢のように受けている夜もある。ほぼ一時間、そうしていたこともあった。

濡れた身体をバスローブにつつみ、タオルで髪のしずくをぬぐいながら、寝室にもどる。ドライヤーで髪を乾かし、ひと通りの肌の手入れをしたあと、私はセミダブルのベッドに横になる。

あたかも隣にだれか寝ているような空白を残し、身をベッドの端へずらす。

まだ練《ね》れていない「オー・ド・スポール」のトップ・コートが顔面をたゆたう。

シーツの空白に馴《な》じんだボディ・コートの芳香は、あすの朝を待たなくてはならない。

そして残り香のエンド・ノートは、あすの夕方になって、ようやく寝室いっぱいにひろがりはじめるはずだった。

私の死後に語られるイメージは、紳士用の香水のあえかな香りにしようと、乃理子の死をきっかけに決めた。

実体のない男の気配だけが残っている――。

実体はないけれど、ゆきずりの男たちがベッドの中でささやいた、無数の言葉の記憶が、この香りには織りこめられている。そうあってほしいと、週末のこの儀式のたびに私は祈りつづける。

紳士用のこの香水をベッドにちらすようになってから、私自身は香水をつけなくなっていた。

それまで愛用していた「プワゾン」は、今、ドレッサーの隅でこちらを見ている。「毒」という意味のその香水は、その前まで使っていたジバンシィの「ル・デ」――「さいころ」という名の香水から、単に気まぐれに変えただけだった。

「プワゾン（毒）」と「ル・デ（さいころ）」のどちらが、より私に似つかわしいのか、教えてくれる男はいない。

ただ私は、自分の身体が香水を必要としないほど無臭で、水のようにおもしろ味に欠けていることは知っていた。

私はどこまでも閉じられている。おそらく開かれることはないだろう。

自己愛にきっちりとくるまれている私と、それを嗤《わら》いながら眺めている私があった。

静物たち

らない。

階下の玄関のドアが、かすかにきしんだ音を立てたように、多紀子《たきこ》は感じた。範久《のりひさ》が帰ってきたのか、あるいは風のいたずらなのか、いつものことながら、よくはわか
築後四十年以上たっている古い洋館風の二階建ての家だった。

一階には台所や食堂のほかに居間、応接室など七つの部屋がある。

二階は、階下と同じスペースで五室あり、そのうち多紀子が使っているのは十畳と八畳の洋室で、書斎と寝室にあてている。

屋根が鋭い三角形にとがり、壁面にびっしりと蔦《つた》を這《は》わせた、こうした洋館は、かつての札幌の街では、わりと見かけられた建物であったが、現在では珍しくなってしまった。

札幌の碁盤の目のように区切られたのびやかな街並みと、古い三角屋根の洋館の組みあわせは、いかにもエキゾチックで、日本の中の異国の風情《ふぜい》をかもしだしていたものである。

半年前まで、多紀子はこの家にひとりで暮らしていた。

十年前の二十五歳の年に母親を心臓病で亡くし、五年前には父親を癌《がん》で失い、きょうだい

のいない多紀子は、この土地や家を売りはらうことも考えないわけではなかったが、なんとなく、そのままになってしまった。

　土地は二百坪ある。

庭には白樺《しらかば》、エゾ松、トド松などの樹々《きぎ》が、のび放題になっている。

今夜は夕方から雪になった。

しかし冷えこみは、それほどでもなく、むしろ、一月にしては暖かいほうだろう。

多紀子はベッドわきの窓のカーテンを開け、窓も半開きにして、ゆったりと舞い落ちてくるぼたん雪を眺めていた。

そばのティーテーブルには、あたたかいミルクの入ったカップが置かれ、多紀子はすでに入浴後のガウン姿である。

就寝前のひととき、多紀子は、こんなふうにして、ぼんやりと放心しているのが習性になっていた。

　寝室のドアがノックされた。

　さっきの玄関先の物音は、やはり範久だったらしい。

「ぼくです。今、帰りました。あの……ちょっとよろしいですか」

「どうぞ」

ドアを開けて入ってきた範久は、髪に雪の破片をつけていた。

湿った柔らかな雪は、室内の暖気で、たちまちに溶けだし、彼の前髪にはりついたそれは、滴《しずく》となって額にしたたりはじめる。

多紀子は立ちあがり、下着類を入れてあるロココ調の洋ダンスから、ハンカチをとりだして、範久に手わたす。

そのタンスは、母親が愛用していたものだった。

「あ、すいません」

範久は、通勤用の紺のソフト・スーツに同色のネクタイをしめていた。

雪にぬれたコートは、階下でぬいできたのだろう。

彼には、一階の、父親の書斎だった作りつけの机のある部屋と、ドア一枚へだてた両親の寝室を使わせていた。

といっても、彼は、毎晩この家に帰ってくるわけではない。

週のうち何日ぐらいかと、多紀子はあらためてかぞえたこともない。

範久の気分次第で、ここにやってくればいいし、それ以外の日は、同じ札幌にある実家や、友だちのアパートに泊ったりもしているようだった。

ハンカチで髪の雪片《せっぺん》をぬぐってから、範久は、多紀子に視線を押しあてた。

職場でのまなざしになっている。

「部長、企画書のことで、ご相談にのってもらえませんか」

「企画書って、ああ、もしかしたらK社主催の春のスポーツ・イベントのことかしら」

数日前の早朝部長会議で、範久の所属する第二制作部の部長から、企画コンペに勝ったという報告があった。

しかし、企画コンペのさいのプレゼンテーターは、範久ではなかったはずである。

それが、どうして彼の担当になったのか。

多紀子の疑問を感じとったのか、彼は、やや眉間《みけん》をよせて、目をふせる。

「本当は、あのプランはぼくが作ったのです。でも、K部長の考えで、プレゼンテーターは別の人間が」

範久はそこで顔をあげた。

内心の傷ついたプライドや、屈託《くったく》した思いを、故意に払い落そうとするように、笑顔を見せる。

「やっぱり、ぼくはまだまだですね。プレゼンテーターとしては迫力に欠けるし、つっこまれた質問をクライアントからされても、すぐに答えられずにどぎまぎしてしまいますから」

多紀子はきっぱりと言う。

「だれでも最初のうちはそうよ。あなただって、そのうち馴《な》れる。プレゼンテーターは、はったり人間がむいているとはかぎらないし、クライアントによっては、まじめに真剣に説明するタイプのほうが、信頼できると考えるところもあるのだから」

それから多紀子は、とりあえずはお風呂に入ってくるようにすすめた。

「くつろいだ気分の中から、意外といいアイデアが浮かんだりするわ」

「わかりました」

「私、書斎にいますから」

「はい。では十五分後に」

この半年間、こうした会話は、何回もかわされていた。

多紀子と範久は、札幌に本社のある広告会社に勤めている。

社員総数は約二百名で、本社のほかに、旭川と函館に小規模な営業所を持つ。

多紀子は、本社の第一制作部長であり、範久は、第二制作部に所属し、入社二年目の二十五歳である。

範久が、半年前から多紀子の家で半同居人になっていることは、社内では、だれも知らない。

気づかれないように、ふたりが周到に行動していると同時に、多紀子と範久それぞれが職場の者たちに与えている印象も、おおいに役立っていた。

多紀子は、入社十二年になる。

一見したところ、派手で、男関係も華やかなタイプと思われがちである。

服装も、好んで原色を着るし、アクセサリーもふんだんにつけている。

目もとにポイントを置いためりはりのきいた化粧はもちろんのこと、香水も欠かさない。

直属の部下や社内の若いひとたちをつれて、ススキノにくりだす夜も、他の役職者とくらべると、はるかに多い。

だが社内での浮いた噂《うわさ》は、この十二年間、一度も立ったことがなかった。

プライベートな面でも、異性関係を連想させる言葉や意味ありげな行動はいっさいひかえ、完璧に秘密を守り通してきた。

「外見とは違って、身持ちの固い女性」、多紀子はこう言われている。

さらに好意的に解釈してくれる者もあった。

「あの派手な恰好《かっこう》は、広告会社で働く女性、という世間一般のイメージに応《こた》えてのもの」

それは否定はしない。

くすんだ身なりや口紅もつけない三十五歳の女の素顔など、広告会社にかぎらず、景気のよいものではなかった。

明るく、華やかにしてこそ、部下やまわりの者たちの気分を盛りあげる。髪ふり乱して、彩《いろど》りのない顔で、脇目もふらずに仕事に励む女性の姿は、もはや遠い昔のことだ、多紀子は、そうも思っている。

範久も、初対面の相手には、誤解されがちな男だった。

二十代男性の平均的な身長より、頭ひとつ高い長身は、まず、それだけで目立つ。といって、筋肉の薄い身体ではなく、学生時代にテニスできたえた体型はバランスよく、難点のつけようがなかった。

また気品のある顔立ちと、清潔感にとんだ色白な肌は、最近では、あまり見かけなくなった近づきがたいハンサムぶりで、入社当時は、女性社員の目を見張らせた。

こうした容姿から、範久は、プレイボーイと思われてしまう。

だが、実際は「カタイ男」と同性から評される。

同年代の女性社員からは、「何をツッパっているのか」、そうからかわれる。

入社したての頃《ころ》の、プレイボーイのイメージは、たった数ヵ月で「きまじめな無口な男」に訂正されてしまったのである。

しかし、おしゃれなダンディぶりは、だれもが認める点で、つねにシックな色あいのソフト・スーツを愛用し、くずれた服装はしたことがない。

それは、ポロシャツにジーパンの姿でも、ぴしりと引きしまった雰囲気を保ってしまう範久の特質なのかもしれなかった。

「身持ちの固い三十五歳の女」と「きまじめで、どこか不器用な二十五歳の男」のむすびつきは、そのどちらも目前に見ている会社のひとびとにとっては、想像もできない組みあわせなのだろう。

多紀子にしても、社内の男性と特殊なかかわりを持つのは、これがはじめてであった。

といっても、ふたりは半同居の生活をつづけながら、手も握ったことがない。

範久は、多紀子の家にやってくるようになった半年前に言った。

「黒とも白ともつかない男女関係があってもいいじゃないですか。ぼくは学生の頃に苦い経験があって、それ以来、女のひととはプラトニックにつきあっているほうがいいと思うようになりました。いえ、ぼくは同性愛者《ゲイ》ではありません。本当です」

こうなったきっかけは漠然としていた。

範久の言う、黒とも白ともつかない、けれど、なんとなく一年半の流れのうちに、こうなってしまった。

多紀子が、会社の若いひとびとを飲みに誘った場合、つねにその数名の中に彼がまじっていた。

誘い方がいつも大雑把《アバウト》で、特定の者を名ざしするわけでもなく、人数を制限するのでもない。

気がつくと、まったく別のセクションの人間が入っていたり、予想外の人数にふくれあがっていたりする。

飲んでいる席で、範久がしぜんと隣にすわっている場合も少なくはなかった。

そうなると、当然、会話もうまれ、そんなときの彼は、あとになって多紀子が振り返ってみると、結構、打ち明け話めいた内容を淡々と語っていたりもした。

その酒席でかわした言葉へのささいな疑問や確信、あるいは誤りの指摘などで、後日たがいの自宅に電話をかけあう。

電話でのやりとりのはずみから、あらためてふたりきりで会う約束ができる。

そしてまた多紀子が、社内の者をススキノに誘う夜があり――このくり返しの一年半であった。

昨年の夏の日曜日、はじめて範久が多紀子の家を訪ねてきた。

やはり数日前に、たくさんの若いひとびとと飲んだ折に、範久が珍しく、仕事上の悩みらしき事柄を口にしたのだ。

弱音《よわね》を吐かない、二十代の女性社員が評するところの「ツッパった男」なだけに、多紀子は、相当にまいっているらしいと、その心中を推《お》し測り「自宅へ遊びにきては」そう言ってみたのである。

「ずいぶん大きな家ですねえ」

家の中を案内する多紀子のうしろで、範久は、しきりと感心した声をはなっていた。

「この古さが、とても落ち着きますね。しかし、部長おひとりで暮らしているなんて、もったいないというか、心細くはないのですか」

多紀子は冗談の調子で、しかし、ひそかに期待しながら言ってみた。

「あなたが用心棒がわりに同居してくれるとありがたいわね。部屋はいっぱい空いているし」

範久は、日頃の慎重さとはうって変った、こともなげな口調で答えた。

「そうしましょうか。ただ、毎日とはゆかないけれどいいですか」

数日後の夜、彼はスーツや下着類を、父親の車を借りて、自宅から運んできた。

フグの刺身、同じくフグの鍋、最後に煮汁を利用して作られた雑炊《ぞうすい》を精力的な勢いでたいらげながら、岩倉《いわくら》はたえまなくしゃべりつづけた。

つねにエネルギッシュな男だった。

三年前、その心身ともにたくましいところに惹《ひ》かれ、多紀子は岩倉とかかわったのである。

四十二歳、商事会社の札幌支社に勤務している妻帯者《さいたいしゃ》で、東京からの転勤と一緒に、妻とふたりの子供も、札幌に移り住んだ。

岩倉のたくましさも頭の回転の速さも、最近の多紀子には、妙に圧迫感のあるうとましさになってきていた。

関係ができた当初、岩倉は、札幌には三、四年しかいられないだろう、そう言っていたが、以前とは違って、多紀子は転勤になるその日を心持ちするようになった。

岩倉とは月に二、三回会っていた。

けれど、この半年間は、口実をもうけては、月に一回、しかも、まるで気がすすまない。

「どうしたんだ、ほら、食べなさい。フグ雑炊はいつ食べてもうまい」

そう、がつがつするのは、みっともない、多紀子は言いたかった。

「——でね、支社長が言うには、やはり札幌の商圏は、いまひとつパッとしない。その打開策できのうも会議があって、そこで、俺が提案したのが、さっき話したユーザーの新規開発プランさ。これには支社長も大乗り気。札幌にきてから、俺のプランは次々に通ってゆく。いや、札幌だけじゃなく、仙台でもあったよ、こういうヒットはいくつも」

自慢話は、もはや今の多紀子には耳障《みみざわ》りなだけだった。

自分のなしとげた成果を語るにしても、もっと何気なく、あっさりとできないものだろうか。

食事を終えた岩倉は、揚子《ようじ》を使いだす。

その口もとを片手でおおいもせずに、多紀子の視線など眼中になく、歯の始末に熱中している。

三年間つきあってきた女の前では、マナーなど不必要、そう思っているのか。岩倉は、多紀子の不快げな表情に目を走らせても、やめようとはしない。

「さて、行くか」

岩倉は立ちあがる。

多紀子は迷っていた。

先月は、食事をしただけで別れた。

仕事の多忙さを理由に、わざと手にしてきた会社の紙袋とその中身を見せたりもした。

今夜も本心はそうしたい。

だが、岩倉は何かをうっすらと感じとっているようだった。

先刻、小上《こあ》がりに案内された多紀子の全身を、彼は、目をこらして舐《な》めまわすように見た。

「近頃の君は、奇妙に脂っ気が抜けてきた感じがするな。それでいて不思議となまめかしくなっていっている」

もめごとや言い争いは避けたい。

そういうわずらわしさをはぶいて、すっきりと別れ話を承知してくれる男だろうか。

どたん場にくると、男がどういう対応をするか、これは予測がつかなかった。

かなりしつこい性格だと思っていたのが、意外にさっぱりと手放してくれたりもする。

その反対に、物わかりのよい紳士だったはずなのに、いつまでも未練たらしく電話をかけてきて、怨《うら》み言をくどくどと述べる男もいる。

岩倉がレジで支払いをしようとしたとき、多紀子は、会社に電話を入れなくてはならないと言って、そばをはなれた。

電話台は、通路をはさんでレジ台の反対側にある。

会社ではなく、自宅の電話番号を押しながら、腕時計を見る。

九時になろうとしていた。

呼びだし音が二回鳴ったところで、いったん電話をきり、ふたたびボタンを押し直す。

このかけ方は、範久とのあいだでとり決められている。

何回ベルが鳴っても、範久はでない。

今夜は、多紀子の家にこないつもりなのか、あるいは、まだ残業しているのだろうか。

岩倉と会うために、七時少し前に退社したときは、企画書の作成に没頭しているらしいうしろ姿は目にしていた。

だが、範久に用があるのではなかった。

この店の前で、急用ができて会社にもどらなければならない、そう岩倉に告げるための小細工だった。

背後の岩倉の気配に片耳をそばだてながら、もう一方の耳は呼びだし音を聞きつづける。

レジでの支払いが終ったらしい。

多紀子も受話器を置く。

店をでたところで、予定通りの嘘《うそ》を口にした。

岩倉は無言で、肩の凝りをほぐすように首を左右にまわしている。

「そういうことで、私は会社に引き返すわ」

歩きかけたその腕を、岩倉は強い力でつかみとる。

「待てよ。あと十分、散歩につきあってくれ」

いつにない岩倉の申し出に、多紀子はひそかに身がまえる。

路面電車の線路をはさんだ南側はススキノである。

その北側のテナント・ビルの建ち並ぶ舗道を、地下鉄・薄野《ススキノ》駅へ降りる地下街の入口に向けて、ふたりは並んで歩きはじめた。

岩倉は、その裏にウールのライナーをとりつけたトレンチコートを、前ボタンもはめずにはおり、両手を脇ポケットに入れている。

多紀子は薄紫色のウールのオーバーコートに、コートの色よりやや濃い目の革の手袋をはめ、靴はその底に滑りどめのゴムをはりつけた黒のパンプスだった。

めったに見かけない色の手袋は、範久のクリスマス・プレゼントである。

札幌市内のデパートを残らず探しまわり、ようやく多紀子のオーバーにあったそれを見つけた、そう言ったときの範久は、少年のようなあどけない笑顔になったものである。

一月もあと数日になった雪道は、歩くたびに、きしきしと小さな音を立てた。

冷えこみがきびしくなるほどに、雪道は、こうした冬の悲鳴をもらしはじめる。

「多紀子、ほかに男でもできたのか」

岩倉は、世間話の軽さでたずねた。

「いいえ」

「しかし、俺と会うのは避けているだろう」

多紀子は、その場の思いつきを口にする。

「何年おつきあいしていても、結婚できるわけでもなく、そうね、なんとなく疲れてきたのかもしれないわ」

「きみにもまだ結婚願望があるのか。なるほどな。意外なことを聞いた」

結婚など、もはや、だれとも考えられなかった。

古い大きな洋館の家は、居心地がよく、あの広々とした空間の中で味わう自由は、手放せそうにもない。

範久の姿も思い出す。

彼の物静かなたたずまいと美しさも、古びた家にはよく似合う。

岩倉を、一度として自宅に誘わなかった。彼のあふれんばかりのエネルギーとその言動は、朽《く》ちかけた洋館の中では、必ず違和感をかもしだす。

彼とは、こうして街の雑踏《ざっとう》や喧騒《けんそう》の中で会っているのが、もっともふさわしい。

「まあね、俺には家庭があるし、きみを縛りつけておく資格はないな。ただ、きみとはじつに肌があう、そう思っていた。きみもそうじゃなかったのか」

多紀子は答えない。

言っても、岩倉は理解できないだろう。

ベッドの中での行為よりはるかにエロチックで、官能的な男女関係もある、多紀子は範久の横顔を思い浮かべる。

父親の書斎であったその机に頰杖《ほおづえ》をつき、正面の窓のそとを眺めている範久の姿は、いつのときも、多紀子の目の楽しみだった。

その姿を、そのままそっくり剝製《はくせい》にして、そこに置いておきたいと夢見てしまう。

地下街につづく階段にたどりつく。

「じゃあ、ここで失礼します」

「多紀子、俺は別れないからな」

地下鉄とバスを乗りついで家に帰ると、玄関先のランプにあかりがともっていた。

範久が帰ってきたらしい。

家に入り、一階の廊下の突きあたりのドアをノックする。

「はい」

書斎のドアが内側から開かれた。

範久は、きょう会社で見かけた黒のスーツ姿で、ネクタイもはずしてはいない。

「あら、今、帰ってきたところなの？」

「ええ。ほんの数分前」

「企画書はできあがった？」

「まあ、どうにか」

「よかったわね」

二階の自室にきびすを返しかけた背中に、範久の声が追ってきた。ごくおだやかな声音《こわね》である。

「さっき見かけましたよ。あの男は恋人ですか」

「あなたもススキノの近くにいたの」

「ええ。あのそばの古本屋に用があって」

多紀子は、振り返った。

いたずらっぽく範久にきく。

「彼、私の恋人にするにはどうかしら。お似合いのカップルかしら」

範久は無表情である。

その声も感情を宿さない。

「あまり、おすすめのタイプじゃありませんね、彼は」

「そう。じゃあ、やめにするわ、あの方は」

範久の目の光がわずかに揺れた。

二階にあがり、着換えをして、階下の風呂場へ行こうとしたとき、ドアのむこうで声がした。

「お風呂からあがったら、ワインでも飲みませんか。買ってきてあります」

「ありがとう。すぐに行くわ」


静かだった。

書斎のカーテンをすべて開け、ふりはじめた雪を眺めながら、ふたりはワインを飲む。

範久がぽつりと言った。

「ぼくは、このままずっと結婚できないかもしれませんね」

「なぜ」

「よくわからないけれど、そんな気がします。したいとも思わない」

そして範久はいつになく饒舌《じょうぜつ》になった。

子供の頃は、いたって無邪気に遊びくらしていた。

女の子たちとも、おもちゃ遊びをしたり、異性という感覚はまるで持たなかった。

小学五年生のとき、おかしい、と思いはじめた。

彼がある女の子と親しくしていると、まわりの女の子たちが指さしたり、かげ口を言ったりする。

「自慢に聞こえるかもしれませんが、六年生のときから、ぼくはバレンタイン・デーがゆううつになりました。たくさんのチョコレートをもらう。くれた女の子に礼を言う。すると、それが女の子たちのあいだで問題になって、気の強い女の子などは、ぼくにききにくるのです、あの子が好きなのかと。それからです、女のひととは一線を引いてつきあわなくてはならないと思ったのは」

「モテすぎる男性の悩みね」

「何もいいものじゃありませんよ。一種の女性恐怖症というか、女嫌いのようなものですから。中学、高校と、バレンタイン・デーはいやで仕方がなかった」

多紀子はからかいまじりにたずねた。

「そういうあなたが、私に対してだけは安心するのね」

「安心というか……いや、何でしょうね」

「十歳も上だから、もはや、女性とは見なさない――」

「そんなことではありません。どう言えばいいのか……そう、特殊なひとなんです、部長は」

「黒でも白でもない関係、そう言ってたわね」

「ええ。そこがいいのです」

それから範久は、自分が社内の二十代の女性たちから「ツッパっている」と評されていることにふれた。

「どう言われようといい、そんな気持ですね。中学生になったとき、自分で決めました。男はこうあらねばならないといういくつかのことを」

「たとえば」

「ごく当り前のことで、あえて口にするような決めではありません」

そう言ってから、範久は珍しく冗談の口調になった。

「でも、ぼくのような男は、最近の二十代の女性にはモテないんですよ。もっと陽気で、しゃべるのがうまくて、一緒にいても女の子を楽しませるタイプの男が、今は人気があります。ぼくにはできないことですよ」

岩倉がもし二十代だとしたら、彼もまたモテるだろう。

だが、多紀子は、範久と奇妙な半同居の状態になってから、今夜、岩倉に指摘されたように「脂っ気がなくなっている」自分を感じていた。

範久とこうしてワインを酌《く》みかわし、雪を眺め、それで十分に満足している。

会話がなくてもよかった。

範久が目の前にいればいい。

窓のそとの雪のふり方が激しくなってきた。

こまかくて、矢のような硬さを思わせる雪だった。

多紀子はワイン・グラスを手に、しばし、見つめ入る。

視線を窓からはなした瞬間、範久のそれとかちあった。

ずっとこちらを注視していたらしい。

「部長は、ぼくぐらいの年齢のとき、どんな女性だったのでしょうね。いつも想像します」

「きっと、こうしてワインを飲むような間柄にはなっていなかったと思うわ、私たちは」

範久のようなタイプの男には、どう対応すればよいのかとまどってしまっただろう。

だが現在の多紀子は、黒とも白ともつかない、曖昧《あいまい》で、何も確認しあわない、また探りあわない、恋人とも呼べないこの関係に充足していた。

もし、それらを実行に移したなら、その一瞬から、破局が予想される男女関係のなまなましさが、範久とのあいだには皆無《かいむ》だった。

いくつかの恋愛をへて、結局は、どれも変りばえのしないかかわりだった、という思いがする。

特に性的な事柄がからんでくると、その色褪《いろあ》せ方は早い。

たちまちのうちに、幻想ははがれ、ただの男とただの女になってしまう。

想像力がふんだんに、おたがいを彩《いろど》っているうちが、男女関係のもっとも幸せなとき、多紀子は、そうも考える。

範久は否定していたけれど、彼がホモセクシュアルでも、いっこうにかまわなかった。

範久とは、同じ年の入社で、もっとも親しいつきあいをしているその男は、おもしろおかしく暴露していった。

範久が仕事で出入りしているいくつかの企業の中から、これまで三人の二十代女性が、範久にのぼせあがったのだという。

「地方の企業の女性などは、わざわざJRに乗って会いにきましてね。するとこいつは、いつもぼくを誘うんですよ。B社の女性も、かなり積極的で、もう、はっきりこいつが好きだという態度がまる見え。ネクタイをプレゼントした彼女も、かなり、しつこく追いまわして。な、あれはちょっとすごかったな」

話を聞きながら、多紀子はサンドイッチを食べている。

会社の昼休み、近くのレストランへゆくと、彼と範久が先にテーブルについていて、多紀子を手招きしたのだった。

もちろん、範久がそうしたのではない。

同期の男がピラフを食べながら多紀子にしゃべっているその横で、範久は眉間にしわをよせ、スパゲッティに専念している。

多紀子を正視するまいとして、必死にフォークを動かしているようでもあった。

多紀子は男のおしゃべりにあいづちを打つ。

「彼はモテるのね」

「モテるわりには、そっけないんですよ、こいつは。もったいない話ですけれど」

範久が、うつむいたまま、鋭く吐きすてる。

「もうやめろよ」

「こいつ、すぐ照れるんです。でも、部長、本当ですよ、今の話は」

その夜、範久は家にあらわれなかった。

多紀子の予測通りである。

さらに多紀子は、彼はもう二度と家にやってこないように思われた。

くるとしたら、いくばくかの衣類をとりに訪ねてくるだけだろう。

範久の気配が家の中からかき消えてみて、多紀子は、このふた月ほど、彼がほとんど毎日、ここに帰ってきていたと、あらためて気づかされた。

入浴後、多紀子は台所に飲みものをとりにゆき、冷蔵庫に、範久が買っておいたらしいワインを二本見つけた。

どちらもロゼで、多紀子が好きだと言っていた国産の銘柄である。

ワインの栓を抜き、グラスと一緒に、範久が使っていた書斎へゆく。

机の前の椅子に腰かけてワインを飲みはじめる。

正面の窓は、今朝彼がそうしていったままで、カーテンは引かれていない。

きっかけは何であれ、いつか範久がこの家から去ってしまうのは覚悟していた。

ワイン罎《びん》の中身が、いつのまにか半分にへっている。

酔いは感じない。

多紀子は椅子からはなれ、久しぶりに、広々とした家の中を、まんべんなくまわってみた。

生れ育ったこの家には、いたるところに、思い出がうずくまっている。

範久以外に、かかわった男たちは、だれもこの家に入れたことがなかった。

家族との清らかな思い出が、男たちの体臭でよどんでしまうと怖れた。

そういえば、範久には、ほとんど体臭を感じなかった。

彼の使っているヘアトニックや、ひげそりあとのローションが、そのかわりになっていた。

将来を考えて、ここを売ってマンションでも買おうか、多紀子は一室ずつ眺めてゆきながら、これまでになく気持が固まってくる。

家はもう老朽化《ろうきゅうか》して売りものにはならないだろうが、二百坪ある土地は、かなりまとまった値で買い手がつくだろう。

岩倉と会った二週間前は、この家の広さを居心地よく感じていたはずなのに、範久を失ってみると、のびやかな空間はうつろながらんどうに思えてきた。

ほそほそと背すじが寒いのは、夜気の気温の低さばかりではなく、淡い哀《かな》しみのせいかもしれなかった。

多紀子は書斎にもどり、ふたたびワイングラスを手にする。

あすは土曜日で、会社は休みだった。

ワインを一本からにしても、多紀子は、まだ酔えなかった。

心のどこかの留めガネがはずれ、アルコールの酔いが、そこからなだれ落ちていっている感じがした。

二階の寝室にあがり、小型冷蔵庫からウイスキー壜と氷、水を入れた筒型の容器をとりだして、水割りをこしらえる。

眠れない夜のために用意してあるコーナーだった。

ゆっくりとふた口めをふくんだとき、ドアがノックされた。

多紀子はとっさに身がまえる。

玄関の鍵をかけ忘れていたのだろうか、そういぶかりながら、父親を亡くしてから、護身用に買っておいた細くて長い金属棒を握りとる。

壁時計は午前一時をまわっている。

「ぼくです、遅くなってすみません」

範久だった。

思わず多紀子はドアに走りよる。

把手《とって》に手をかけた瞬間、ドアのむこうでも把手をつかみとった音がした。

「開けないで下さい。このままで、ぼくの話を聞いて下さい」

そして範久は、きょうの昼休みの件について語りはじめた。

二十代の三人の女性から好意を持たれたのは事実だった。

しかし、誘いをむげに断われなかったのは、どの女性も会社の取引先に勤めているためで、もし邪険《じゃけん》な対応をしたなら、仕事面にひびくことになりかねないと判断した。

いつも、一対一では会わなかった。

さらに、一、二回は誘いに応じはしたが、三回目は必ず理由をつけて拒否してきた。うしろめたいことは、何もしていない。

これまで黙っていたのは、かくすつもりではなく、とりたてて話すほどのことではない、そう思っていたからだった。

「これがすべてです。誤解されたくなくて、やはり今夜のうちにきちんと説明しておこうと。ススキノで仲間と飲んでいたのをぬけだしてきました。信じてくれますか」

あまのじゃくな気持が働いた。

多紀子は冷淡に言った。

「信じないとしたら？」

「どうすれば信じてくれますか」

範久も酔っているのだろう。

声がふだんとは違って、困惑の感情をにじませていた。

「ね、どうすればいいのですか」

多紀子の脳裡《のうり》に大胆な光景が浮かびでた。

「一回だけでいいわ、私の言う通りにしてくれたら、あなたの説明を信用することにする」

「言う通りにとは……？」

「それじゃあ、一階のあなたの書斎で待っててちょうだい」

範久がドアから去ってゆくスリッパの音が聞こえた。

多紀子はガウンをぬぎ、その下のネグリジェと下着をとって、素裸のうえにガウンを着る。

階下へおり、書斎にすすむ。

そっとドアを開けると、範久は机の前の椅子に腰かけ、窓のそとを眺めていた。

コートはドアのそばのソファに掛けられてある。

そのソファに多紀子は腰をおろす。

範久は放心状態にあるらしく、多紀子に気がつかない。

かなり酩酊《めいてい》しているらしかった。

範久のその姿を、横顔を、心ゆくまで見つめ入る。

やはり、この部屋には、範久の姿こそ似つかわしい。

父親の好みであった重厚で黒っぽい木の素材でつくられた広い書斎の、額縁ひとつかかっていない空間の中に、彼を置くと、気品ある冷ややかな美貌《びぼう》は、見事な調和をなす。

思わずついたため息に、範久は、そこでようやく多紀子のほうを振り返った。

「いらしたのですか。それで何をすれば」

「今回だけでいいの」

多紀子はくり返し念を押す。

これで完全に彼を失っても悔いはない。

「あなたの裸を見たいの」

「裸？　裸って、つまり、そのう……」

「そう、ヌード」

「そんな突然に、しかもヌードだなんて」

「さっきドアの前で約束してくれたのじゃなかったの」

範久は、しばらく多紀子を凝視《ぎょうし》した。

何の心もこもらないまなざしだった。

やがて無言で椅子から立ちあがり、背広のボタンに手をかける。

ネクタイをゆるめはじめる。

数分後、机の前には、均整のとれた彫刻のような男の裸身がたたずんでいた。

「きれいね……」

さらに多紀子はせがんだ。

男である証拠を示すことはできないのか。

「まさか」

範久はうすく笑った。

不思議なことに、素裸になってからの彼は、身のおおいをいっさいぬぎ去って、もうこれ以上のかくしようのなさへの居直りなのか、その全身から自信のようなものを漂わせてきた。

その自信が、いっそう美しさとなってもくる。

多紀子は両足のかかとを、ソファの端につけた。

それから、ガウンの前を開く。

範久は表情も変えずに、あらわになったその部分を見つめる。

彼の身体に変化が生じてきた。

そそり立った。

範久はかすれ声になっていた。

「そばに行っていいですか」

「だめよ」

「好きなんです、あなたのことが」

「だから、だめなの。プラトニックなほうがいいと、あなたも言っていたでしょう」

「あのときは、学生の頃は、こういうのじゃなくて、ひどく味気なかった。がっかりしたんです。でも、今は、まるで違う――」

範久が一歩近づいてきた。

多紀子はいそいでガウンの前を閉じて立ちあがり、書斎をとびだした。

範久が追ってくる。

部屋から部屋へと逃げながら、多紀子はおかしさがこみあげてきた。

子供の頃に、よくこうして家の中で鬼ごっこをしたものだった。

範久もあきらめずに追いつづける。

いつのまにか、多紀子は笑いながら逃げていた。

その笑いのずっとうしろから、範久の笑い声もひびいてくる。

もはや性的な匂いの消えはてた、ふたつのほがらかな哄笑《こうしょう》だった。

パーソナル

二杯目のオンザロックを飲みほし、村田友美《むらたともみ》は大きくため息をついた。吐きだす息とともに、弦《げん》のように張りつめていた背すじを、だらしなくゆるめてゆく。

カウンターの内側に立つバーテンダーが近づいてきて、友美のからのグラスに軽く指をそえ、首をかしげてみせる。友美は黙ってうなずく。バーテンダーは目の前のスコッチウイスキーの罎《びん》を引きよせる。グラスにあらたな氷のかたまりをひとつ加える。

友美はバーテンダーの手の動きを、ほうけたようなまなざしで見つめつづけていた。

久田順子《ひさだじゅんこ》は、そんな友美の姿を眺めながら、薄い水割りをゆっくりと口に運ぶ。

アルコールによって緊張感のほぐれてきた友美が、心の中に押しこんでいるさまざまな鬱《うっ》屈《くつ》を語りはじめるのはこれからであった。

ため息と背すじのゆるみが、その予告であることは、ふたりきりで飲む機会を持つようになったごくはじめの頃《ころ》から、順子は気づいていた。

だが、以前はこうなるまで、もう少し時間がかかった。オンザロックを急ピッチで何杯も飲みほし、酒精《しゅせい》を体のすみずみまでゆきわたらせてから、ようやく仕事をはなれた貌《かお》を見せてきたものである。

急ピッチな飲み方は、今も変らない。ただ、たった二杯で背すじの張りを失ってしまうとは、これまでの友美にはなかったことだった。

相当に疲れてまいっているのだろう、順子は同情でも、冷淡にでもなく、人事部《パーソナル》・部長補佐という役職者のまなざしを友美にむける。

友美が、営業部の統括部長である月島史郎《つきじましろう》をめぐっての女としてのライバルであることを、順子はつかのま忘れ去る。

友美は二十八歳である。順子より十歳も若い。

その若さで、友美は昨年の十月の人事異動で、企画部の第四チームのチーフに抜擢《ばってき》された。チーフに任命された当初、友美は居丈高《いたけだか》なほどの自信にみち、その言動は、ときとして傲《ごう》慢《まん》に思えるくらいの容赦《ようしゃ》のなさに終始した。背後に月島がひかえている、それも彼女の強味になっていたのだろう。

「久田さん」

友美は三杯目のグラスを両掌《りょうて》につつみこみ、うつむきがちに口をきった。弱々しい声音《こわね》である。

「私、やっぱり管理職にはむいていないのかもしれません。部下のマネージメントよりも、デザイナーとしてやっているほうが、ずっと気楽ですし、張りあいもある」

「チーフになってから、まだ五ヵ月しかたっていないじゃない。だれでも一度はそういう壁にぶつかるものよ」

口ではそう慰めながらも、順子はすでに友美の周辺の情報をかなり収集していた。

情報源は社内の女性社員たちである。二十代の男性社員も何人かふくまれる。同じ役職者同士の情報は、会社のトップ・クラスの動向はともかくも、社員のあいだに流れている不平不満のささやきや、人的つながり、同僚間の反目やいさかいなどは、意外に把握《はあく》されていなかった。また、平社員といっても三十半《なか》ばすぎの男性からの情報は期待できない。かれらはまず保身のかまえで、職場内のあれこれを自分から口にするのは避けたがる。

二十代男女が、もっともイキのよい情報をふんだんに持っていた。若者の貪欲《どんよく》な好奇心とエネルギーが、仕事面だけにとどまらない人間関係やゴシップ、スキャンダルの匂いを敏感にキャッチしてくる。

村田友美と月島史郎の仲があやしい、これを教えてくれたのも、営業部の若手男性たちだった。昨年の夏の頃である。

やがて、ふたりがラブホテルに入ってゆくのを偶然に目撃した、と順子に暗い顔で打ちあけたのは、入社一年目の女性社員で、それは友美がチーフに昇進してまもなくであった。潔《けっ》癖《へき》な性格の彼女は、自分が目にしたその光景にかなりショックを受けていた。

「部長補佐、私はもう月島部長が信頼できなくなりそうです」

「結論をだすのは早いのじゃない？　わかりました、私が調べてみましょう。それまでは、このこと、だれにも口外しないでおいてね」

数日後、順子は彼女を夕食に誘った。そして、あの一件は、彼女の誤解だったと説明した。

「村田さんが酔って気分が悪くなってしまったのね、つまりタクシーにも乗れないくらいに。そこで月島部長が仕方なく近くのラブホテルにつれていって介抱《かいほう》した、こういうわけだったの。でも部長も少し不用心よね、いくら村田さんが歩けないくらい酔ってしまったといっても、ラブホテルを利用するなんて。部長もとても反省していたわ」

もちろん、順子は月島にも友美にもひと言もたずねてはいない。

「そうだったのですか……」二十代の彼女は素直にうなずいた。年配者なら、そんな話は男が浮気の現場を見られたときによく使う手だ、と一笑に付す内容であったけれど、入社一年目のきまじめな彼女はすんなりと信用してくれた。

そのまじめさを、順子はそこねたくはなかった。あらたな情報源として貴重な存在でもある。

「これからも、あなたが許せない、おかしいと思ったことは、どんどん私に言ってね。人事部の役割には、そうした問題を解決《クリア》してゆくこともふくまれるのだから。そうね、月に一回はこうしてふたりきりでお食事でもしましょうか。私の息抜きにもなるし」

「はい。うれしいです」相手は目を輝かせた。

息抜きではなかった。あくまでも仕事の一環である。また、順子が「ふたりきりで」という声をかけている相手は、男女ともに社内に数名ずついた。いつの場合も自腹をきっての会食であり、飲酒だった。

村田友美は、チーフの肩書に耐えきれなくなる、これは順子がはじめから予測していたことである。気性が激しすぎた。部下の反発をかうに違いない突進型の激しさだった。ただ、男性上司には、やる気にとんでいると評価される。

しかし、彼女の昇進をめぐっての人事会議の席で、順子は賛成も反対もしなかった。意見を求められても、曖昧《あいまい》に言葉をぼかして即答は避けた。最終的には多数派につく、そう思い決めてもいた。

友美の昇格にもっとも熱心だったのは月島だったからである。といっても、彼は雄弁家ではない。ただ彼が口をひらくと、どんな喧騒《けんそう》状態であっても、そこには静寂がおとずれ、物静かな中にも凜然《りんぜん》としたひびきをやどす月島の声が、あたりを圧する。短いひと言、ふた言が、それまでの議論をくつがえす説得力をはらんでいる。

月島の熱心さは、あるいは順子にしかわからなかったかもしれない。

八年間、月島の愛人である順子だからこそ、一見したところ、そうとは見えない彼の冷静沈着さのかげにひそむあがきの気配を読みとれた。

会議の中で、月島は、順子にとって耳なれない言葉をいくつか使用した。

「ある種の賭けの必要性」

「二十代の女性社員が目標とするアイドル的女性管理職」

「これまでわが社には見当らなかった逸材《いつざい》」

特に、逸材、という最大の評価は、順子の胸にこたえた。そうした言葉は、月島らしからぬとりのぼせようを示しているようだった。少くとも、彼の日頃の公平な判断力や慎重さからは考えられない、私情のからんだ表現である。

月島の友美への執心《しゅうしん》のほどは、人事異動のあと、街中《まちなか》のラブホテルの一件でも痛感させられた。それも、札幌でも人目につきやすいススキノの奥のホテル街であり、かつての月島には想像もできない大胆さだった。

月島は四十八歳、友美とはちょうど二十のひらきがある。二十歳も齢下《としした》の相手となると、月島ほどの男でも、やはり惑乱《わくらん》してしまうものなのか、嘆息《たんそく》まじりに順子は胸の中でつぶやきつづけてきた。そのとき順子は、月島の愛人であると同時に、人事部・部長補佐の視点が働く。どちらに、より比重がかかっているのか、順子自身にも区別はつかなかった。

友美の三杯目のグラスの中身が残りわずかになっていた。

「久田さん、自分から降格を申してるというのは、まずいでしょうか」

「そうねえ、どうなのかしら」

返答をにごしながら、順子は、それだけは思いとどまらせたいと考える。

第一に、社員数三百人のうち三分の一をしめる女性社員の志気に影響する。その場合は、村田友美のキャリアの汚点になるだけでなく、彼女が降格せざるをえなかった原因は、会社幹部の人材育成の方針にも問題があるとみなされるだろう。ひいては人事部のあり方も問われる。

第二に、月島の面子《メンツ》にかかわる。友美の昇格にあたっては、彼がいつになく積極的に根まわしをしたという噂《うわさ》が、ひそかに社内中にひろまっていた。この噂だけは、順子にはとめようがなかった。友美自身が、自分の力をひけらかすために、何かにつけて月島の名前をだし、自分のハクづけに利用してきたからである。

ただし、友美は、月島との個人的なつきあいについては、きっぱりと否定はしている。多分それは、八年前に順子が彼からきつく申しわたされたように、月島から命じられているからだろう。

月島はいずれ取締役のひとりになると言われている男だった。

友美の降格、しかも彼女自身から願いでたそれは、月島の将来もあやうくさせる。

「降格については、あなたの彼はどう言っているの。もちろん相談はしているのでしょう？」

友美は、月島の名前は伏せ、順子には「彼」とだけ伝えていた。

「彼」は、ある会社の役職者であり、妻子のいる四十代で、ここ半年ほどの関係だという。

「だめなんです、彼は」

友美は吐き捨てた。

「まるでとりあってくれなくて。彼自身が管理職についているためか、降格なんてとんでもないの一点張り。この前なんか、降格するぐらいなら、どうしてチーフのポストを引き受けたのかって、私、はじめて怒鳴られました」

そうだろう。順子は月島に同情する。友美の自主的な降格は、彼の社内における命とりになりかねなかった。

「でも」友美はふいに瞳に強い光をたぎらせる。

「これは私個人の問題ですから。彼が私の一生を保証してくれるわけでもないし、こんな我慢をしてまでチーフをやっている必要もないし、降格が許可されないのなら、私、会社を辞めてもいいと思っています」

順子は内心あせりながら、口調はあくまでもおっとりと柔和さをたもつ。

「村田さん、そういそがないことよ。確かに、あなたはデザイナーとして優秀で、受け入れてくれる会社はいくつもあると思うの。でもね、札幌でナンバー1《ワン》の衣料《アパレル》メーカーである〝ノース・ファッション〟のチーフにまでなりながら退職したとなると、その退職理由をあれこれと詮索《せんさく》されることは確実よね。なかには根も葉もない中傷や噂を立てるひともいるかもしれない。そうなると受け入れる側も、ちょっと考えるでしょうし、札幌のこの業界はせまいから、うちの会社に遠慮する所もあると思うの」

「つまり、私を雇わないというトップ同士の暗黙の協定ですか」

「以前にもそういう例があったわ。やはり、うちの会社のデザイナーの女性で、結婚退職という名目だった。ところが、よその会社に転職しようとしたのね。先方の社長はそれを知らなかった。事実が露見して、その社長はあわててうちの社長にあいさつというか謝りにとんできたの」

「おかしな話。どこに勤めようと個人の勝手じゃないですか」

「業界のモラルというものでしょうね。きちんとした商道徳があってこその共存共栄。そのモラルがなければ、最高に力のある企業一社だけに仕事も人間もすべて吸いとられてしまう」

「それでいいのじゃないですか」

「そうなると、人材も選別されるわ。デザイナーにしても超一流のレベルの人間しか働けなくなる。なんせ、受け入れ側はひとつしかない。といって札幌でそのレベル以下のデザイナーが東京や大阪へいっても使いものになるはずがないでしょう?」

ようやく友美が押し黙った。札幌の服飾専門学校をでているだけの友美は、自分がどの程度のレベルか、それなりにわきまえているらしい。

「もう一杯どう?」

「あ、はい……いただきます」

友美の瞳から強さが消え失せていた。

順子は、ふたたび気弱になった友美の心に巧妙に忍《しの》びこんでゆく。

「ここだけの話だけれど、村田さんをチーフにしたのは、デザイナーとしての力量は当然だけれども、あなたのパワーにみんなが期待したからなの。管理職というのは、並の女性では、とうていつとまらない。でも村田さんは二十代の同年輩の女性の中では抜群のパワーがあるわ」

そう言ってから、順子はいっそうの親密感をこめた小声になる。

「私もとても期待してたの。ほら、女性の役職者は私しかいなかったでしょう。あなたがチーフになったら、同じ女性の管理職として力をあわせてやれるのではないかと。それで、こうしてしょっちゅう飲みに誘ったりしたのも、どうにかしておたがいの気心を知りあいたくて。今までこのことを黙っていたのは、チーフという役目以外のプレッシャーをかけてしまうような気がしたからなの。でも、これが私の本心よ」

本心ではなかった。

友美に接近したのは、月島のことがあったからである。

しかし、傍目《はため》には、役職者としては先輩格の順子が何くれとなく後輩の友美の面倒を見ているように受けとめられている。

月島もそう思っているらしい。友美がひんぱんに会っている「彼」も、また最近めっきり遠のいて、ふた月に一度やってくればいいほうの月島も、順子の行動に疑いはもっていないようだった。

順子は、月島と友美の関係はまったく気づいていないふうを装《よそお》いつづけてもいた。

「久田さん、私、本当にチーフとしてやってゆけるのでしょうか」

四杯目のグラスを握りしめたまま、友美がすがりつくようなまなざしで見つめてきた。

順子はようやく安堵する。その言葉を聞けたなら、もう半分以上はこちらのペースにはまってきたことになる。

順子は神妙に、そしてきっぱりと断言する。

「大丈夫よ。あなたなら」

内心のしらじらしさを、むりやり抑《おさ》えこんで声をはずませる。

「一緒にがんばりましょう」


数日後の夜、月島は約束通り順子の部屋にあらわれた。勤め帰りの背広姿に、ウールのオーバーコートを着こんでいる。

コートの肩に、二月のうすくて凍った雪片《せっぺん》がはりつき、暖房のきいた部屋に入ってからも、しばらくは溶けない硬さだった。順子が帰宅した一時間前より、またいちだんと冷えこみが激しくなっているらしい。

「きみから呼びだしを受けるとは珍しいな」

ふたりきりで会うのは、ひと月半ぶりである。

コートをぬぐ月島の襟《えり》もとに、順子の視線は吸いよせられた。グリーンの濃淡の、ペイズリー柄のマフラーは、おととしのクリスマスに順子が贈ったものではない。こげ茶色のコートにあわせた同色の無地のはずであった。

友美の服装がとっさに思い浮かんできた。グリーン系統を好んで身につける、どちらかといえば派手な部類の趣味だった。イアリングやブレスレット、ファッションリングなどのアクセサリーでめいっぱい飾り立ててもいる。

すでに入浴をすませた順子はガウン姿だった。青い別珍《べっちん》のそれは、数年前のクリスマスに月島からプレゼントされたものである。

毎年、クリスマスイブの晩の月島は家族とともにすごす。翌日の夜は順子と会い、プレゼントを交換しあう、かかわってきた八年間、いつもそのようにしてきた。

けれど昨年のクリスマスは月島からの連絡はなかった。その日のために順子が買っておいたカフスとタイピンのセットは、いまだにこの部屋にある。

ソファに腰かけた月島に、順子はコーヒーを運んでゆく。予想通り、相手は不審《ふしん》な表情で順子を見返した。いつもは、まずはビールで喉《のど》をうるおすのが、この部屋での彼の習慣になっていた。

「きょうは、ちょっと相談があります。私のことではありませんけれど」

順子はほほえみ返す。

「相談とは、これまた珍しい」

静かな物言いだったが、心なしか身がまえたようにも見えた。

順子はテーブルをはさんだ反対側の椅子にすわる。月島の警戒心をやわらがせるために、にこやかさをくずさない。

「じつは企画部の村田友美のことなのです。チーフを辞めたいと言いだしまして。ご存じでしょうか」

順子の視線を、月島はまっすぐに受けとめる。顔の表面に淡く蠟《ろう》を塗りこめて感情のひだをそこでさえぎってしまうような、職場での、特に役職者の肩書を問われる場合の顔つきだった。

順子もまた、自分の表情は人事部のそれになっているのだろうと、心のすみで苦笑する。

男と女の関係に仕事がからんでくるのは、つらいときも少くはなかったけれど、三十八歳になった今、順子はむしろ、たがいのもうひとつの貌《かお》を楽しむ余裕が生じてきていた。逃げ道ともなる。

「そうか、チーフを辞めたいのか。いや、初耳だ。それで？」

「どうにか思いとどまらせたのですが、このままですと、おそらく、しばらくすると同じことをむし返してくるように感じます」

「チーフをやめたいといういちばんの理由は何なのだ」

「彼女自身は管理職にむいていない。そう言っていますけれど……」

「けれど、実際のところは？」

「私が集めた情報を整理してみますと、結局、人望のなさのように思います」

月島の目じりに、かすかなゆがみが走った。齢《とし》若い、そして多分かなりのめりこんでいる恋人の手ひどい悪口を聞かされたひとりの男としての当然の反応だろう。

だが月島の口調は乱れなかった。

「人望がないとは具体的には」

「彼女はまだ若い。許容量《キャパシティ》の大きさを求めるのは、いささか気の毒なのですが、しかしチーフとしては部下に対して、やはりこの点に問題があるみたいです」

「確かに自覚に欠けるところはあるようだな」

「部下のミスに寛大ではない。手柄は自分でひとりじめしようとする。部下をほめない。また彼女自身の仕事のレベルを基準にしているため、部下のやることなすことが歯がゆくて仕方がない。その苛立ちを、あからさまに口にだしてしまう」

「まるでチーフ失格じゃないか」

月島は苦々しくつぶやく。

「はい、残念ですが、これが村田友美の社内的評価です。デザイナーとして一匹狼的なときは、パワーもあり、なかなかやり手ではあったのですが、マネージメントとなると、また別の能力が要求されますから」

「困ったものだ。チーフになって半年もたたないのに、辞めさせるわけにはいかない」

「そうです。チーフ降格はぜったいに避けなければなりません。もっとも無難な解決策は、村田友美が結婚退職してくれることぐらいでしょう。これにしても、チーフにまでなりながら無責任だという批判や、所詮《しょせん》、女はだめなのだといったかげ口は予想されますけれど」

月島の顔面にはかれていた蠟の薄膜のところどころに亀裂《きれつ》がきざまれた。

「結婚の予定は、あるのか」

「いえ、まったく」

「そうか……。ところで、こうした場合、人事部ではどういう対策を立てるつもりなのかな」

「人事部長の耳にはまだ入っておりません。私の段階でストップしておりますし、村田友美にも念は押しておきました。ですから表面化してとり返しがつかなくなる前に、一応、なんらかの措置《そち》を講じておきたい」

月島の口もとに、うっすらと笑《え》みが漂った。同時に順子を見る目に、鋭い光がやどる。

「なぜ、わたしに相談するのだ？　わたしは人事部でも企画部でもない」

「部長はご存じないのですか。村田友美の昇格に関しては、部長がかなりの根まわしをしたと、もっぱらの評判です。二十代のひとびとのあいだでは、定着している噂です」

月島は一瞬真顔になった。

「本当か、それは」

「はい、さらにうがった見方をしている者もおります」

「まったく」月島はいまいましげに吐き捨てた。

「若いやつらの噂話には手を焼くな」

「村田友美の件は、部長にも影響します。それで私としては、まず部長にご相談をと思いまして」

月島はしばらく無言で宙をにらみつけていた。

やがて腕組みをしたその姿勢のままで言った。

「対応策はあるのか」

「はい、とりあえずは。ひとつは多少のリスクを負っても村田友美を斬《き》る方法、もうひとつは時間がかかりますが、村田友美のチーフとしての再教育というか洗脳。ただし、こちらは、はたして彼女がどこまで根気よく努力してくれるかどうか、彼女しだいです」

「再教育とはどのようにやるのだ？」

「さしあたっては私が個人的に。ただ男性側の視点、ものの考え方も教えなくては片手落ちになります。それは部長にお願いしたいと」

「わたしが？」

月島の表情が割れた。

順子はほほえむ。

「ほかにどなたがいますか？」

月島はきつく目をつむる。つむったまままたずねる。

「斬る方法とは？」

「従来通りです。私に一任させてくだされば、あとは、いくばくかの慰労金といいますか、それをご用意してもらえば」

月島からの返答はない。

これまでにない執着を友美にいだいているのだろう。順子は目をとじている月島を凝視する。

胸の中に蒼白《あおじろ》い炎がゆらめきだす。ひとりの女と、人事部・部長補佐の役割とが、炎の芯《しん》と、それをとり囲む円環の、どちらに分離しているのか、やはりわからなかった。このわからなさが、いつ頃からうまれてきたのか、ここの境い目も、もはや判然としない。

月島がようやく口をきった。

「斬るわけにはいかないだろう。あの子の気性なら、おとなしく引きさがるはずがない。そうなったときには手遅れになる」

「私もそう思います。部長のキャリアをけがすわけにはいきません。あと数年たったなら、部長は必ず取締役になられるでしょう。それまでは何があろうとも――」

月島を取締役にする。これは結婚への望みを捨ててから、順子のひそかな目標になっていた。

「それでは部長も彼女のチーフ教育にご協力いただけますでしょうか」

「仕方がないな」

「場所は私のこの部屋でやろうと思います」

「ここで？」

月島は困惑のまなざしになった。

「はい、これはあくまでも内密《シークレット》な対策ですので」

「しかし……」

言いかけた月島に、順子は屈託《くったく》のない笑顔をむける。人事部の役職者として、社内中にふりまいている笑顔である。

「部長のご心配は無用です。私がビジネスとプライベートを混同するとお思いですか？」

しかし、ビジネスとプライベートを巧みにないまぜにすることによって、月島との八年間がつづいてきたのだった。

月島がソファから立ちあがる。

「じゃあ、わたしはこれで。K商事の専務と約束があるので」

壁時計は九時をすぎていた。順子は月島の言葉をうのみにはしない。しかもK商事の専務は、最近体調をくずして、夜の外出は極力ひかえているという話を、社内の営業マンから聞いてもいる。

けれど順子は黙って月島を見送る。

月島と友美の噂を耳にしてから、かれこれ八ヵ月、性交渉は片手でかぞえられるくらいに疎遠になっていた。

そうした彼の意外な不器用さが、順子はきらいではなかった。

翌週から友美のチーフ教育ははじめられた。

月島があらかじめじっくりと友美に言いふくめておいたらしく、順子の「一緒に勉強しましょう」という提案に、「よろしくお願いします」のしおらしい返事がもどってきただけだった。

チーフ教育といっても、順子は市販のビジネス書など使わず、他愛《たわい》ないおしゃべりの中から、しぜんと管理職の役目とそのポイントを学んでいってもらうつもりでいた。そのためには、社長の若い頃のエピソードや失敗談、あるいはすでに役職についているひとびとの、その折りおりの苦労や成功例、また上司と部下の関係がじつに円滑にいっているセクションの分析、部下に対するなにげない、けれど好意を持たれる言動についてなど、すべて具体的な事例をあげて語っていった。

職場をはなれて、ふたりきりでじっくり話してみると、友美はなかなか見どころのある女性である。会社帰りにスナックに立ちよった場合などには素直に表現されていなかった美点が、順子の部屋ではくつろいだ気分になるのか、次々と目を見張るあざやかさで示されてくる。

おそらく気負いがじゃまをしていたのだろう。それをとりはずしてしまった友美は、ユーモアたっぷりの才気煥発《さいきかんぱつ》さで、順子があげてゆくさまざまな具体例に、鋭くも茶目っけのあるあいの手を入れる。順子が思わず笑いころげてしまう絶妙なタイミングであり、小気味よい寸評でもあった。

気性は、やはり激しい。激しいけれど、粗雑な感性からではなく、その裏側にかなり湿ったもろさがひそんでいて、その湿りけに友美自身みずから照れ、突きはなそうとする感情の勢いが、激しさに形を変えているようだった。

順子の部屋をおとずれる回数がますにつれ、友美はいっそう打ちとけてきた。たまに訓示《くんじ》めいた内容を言っても、反発するどころか、真剣なまなざしで、逐一《ちくいち》その言葉を暗記しようとする意気ごみで迫ってくる。

順子が名づけたその「勉強会」は週に一回、順調におこなわれていった。月島はチーフ教育に協力するとは言ったものの、順子が声をかけるたびに、口実をつくっては逃げつづけていた。ただ友美の言葉の端々からは、月島がそれとなく仕事における心得などを教えている様子が感じられた。月島ならではの言いまわしが、そっくり友美の口から発せられたりもする。

ふた月がすぎ、三月も末になった。

順子は新入社員の研修教育に追われる毎日になったが、友美の個人教育も継続していた。友美の柔軟な吸収力と実践力にはめざましいものがあった。

成果が如実にでてきたと実感されたのは、友美が自分のミスや、あとになって失敗したと悔やんだことを、率直に打ちあけてきたときである。自分のあやまちをごまかさずに認める、他人へのほめ言葉をだし惜しみせずにほがらかに口にする、このふたつをなめらかに実行できるのが、管理職のベースともいえた。

順子が、社内に張りめぐらせている情報網からも、友美のひきいるチームの評判は、急速に高まっていた。

チーム全体の結束力、明るい雰囲気、営業部への積極的な働きかけと円滑な協力体制など、かつての問題点は、すべて解決されてきた。

その夜ふたりが、この四月から友美のチームに入ることになった新入社員について話しあっていると、電話のベルが鳴った。

月島からで、これからそちらに行きたいのだが、という。

「確か、きょうは村田友美がきていると思うのだが」

「はい。今もふたりでいろいろとおしゃべりしていたところです」

電話をきり、月島がこれからやってくることを伝えると、友美はかすかに表情を強張《こわば》らせた。

「緊張しなくてもいいのよ」順子はキッチンに立ち、コーヒーメーカーにあらたなコーヒー豆をセットしながら、友美に声をかける。

「前にも説明した通り、あなたのチーフ昇格には月島部長も一枚かんでいて、この勉強会のことも部長と相談したうえでのことなの。部長は様子を見にいらっしゃるだけよ」

友美は沈黙している。

友美の言っていた「彼」が月島のことだと順子に知られるのを怖れているのかもしれない。

だが、順子の部屋に通いはじめてからの友美は、「彼」についてはまったく口にしなくなっていた。

やがて月島があらわれた。

「どうだい、村田くん、だいぶ久田くんに洗脳されたのじゃないのか」

「洗脳だなんて。久田さんはとても親身になってアドバイスしてくれているだけです」

友美の突っかかるような物言いに、順子はどきりとして、カップにコーヒーをそそいでいる手をとめた。上司と部下の上下関係をはみだしてしまう、ぶしつけなほど乱暴な口調だった。月島を正視しかねた。

「なるほど。ようやく社内に、村田くんの信頼するにたる人物ができたか」

「ええ、私、久田さんを信頼していますから」

「さすがだな、久田くん。人事部・部長補佐の実力のほどに、あらためて脱帽するよ」

皮肉っぽい月島の声だった。

順子はいたたまれない心地がした。友美と月島の痴話《ちわ》喧嘩《げんか》めいた会話から、現在のふたりの関係が、おぼろげに想像できた。

今夜、月島がいきなりここにあらわれたのも、考えようによっては、彼を避けつづけている友美を追いかけてきたのではないのか。

月島は、女との別れ方が下手だった。しかし、これまでは、月島が女にうんざりして逃げようとしても、相手が承知しないというパターンがほとんどで、そこで順子の手助けを必要とした。

今回のケースは、月島としては珍しい。社内の女性に手をだし、しかも、みれんたっぷりに追いまわしている。

社内の女性と関係した場合のさまざまなリスクは、八年前、順子とそうなった一件で十分にわかっているはずだった。順子は、月島からの別れ話にいっさい耳を貸そうとはしなかったのである。そんな順子の頑固さを、いっとき月島は激しく憎悪したりもした。それも順子は知っている。

月島は今でも心のどこかで順子を憎んでいるのかもしれなかった。それは最初の頃の男女のもつれとは別に、他の女性たちとの問題が起きるたび、結局、順子の助けにすがってしまう自分へのいまいましさと、順子の動じなさへの苛立《いらだ》ちなのだろう。

人事部・部長補佐であると同時に、順子は月島の個人的《パーソナル》な〝人事〟のかなめを握ってもいた。

「月島部長」友美が冷ややかに言う。

「いろいろとご心配をおかけしましたけれど、久田さんがついていてくださる限り、私はどうにかチーフをやってゆける自信がつきました。久田さんの指示通りに行動していれば間違いがないと思っています。もっと辛辣《しんらつ》に言いますと、社内の男性上司のどなたも信用できなくても、久田さんがいてくだされば、そんな気持です。私のチームの者たちにも、久田さんが私を指導してくれたこと、ありのままに話しています」

仕事にかこつけての、月島への別れの宣言にも読みとれた。

月島は目に激しい感情を宿らせて友美を見返す。見つめたまま、順子に言う。

「たいしたものだな、久田くん。次の人事では、どうやらきみを部長補佐から部長に昇格しなければならないようだ。とにかく村田くんについては、きみにまかせよう」

捨て台詞《ぜりふ》のように言って、月島は帰っていった。

友美が投げやりにつぶやいた。

「いくらヤリ手でも、結局はただの中年男」

そして順子へと視線をむけた。

「私の言っていた〝彼〟がだれか、もうおわかりですよね。でも、このこと黙っていてくれますか」

「もちろんよ」

「久田さんに謝らなければなりません」

「何を？」

「久田さんのこと誤解していました。入社当時、久田さんは人事部の課長で、それは月島部長がバックについているからだという噂を聞きました」

私は野心家だった、そう友美は言いきった。

友美のさしあたっての目標はチーフになることであったという。そのために月島には自分から接近していった。順子との仲も確かめたかった。

月島は順子とのことは、まったく否定した。どこからそんな噂が、とおかしそうに笑ったそうだ。

「でも、社内のひとびとにたずねてみたところによると、久田さんの昇進には月島部長はやはりひと役買っていたと。部長はヤリ手ですから、その発言力も強い。味方に引き入れれば、かなり頼もしい存在です。それで私は部長と関係したのです」

しかし、月島は、友美とふたりきりでいるとき、心強い存在ではなくなった。会社のことや仕事についてはまるで触れようとはしない。友美を単なる齢《とし》若い恋人として可愛がるだけだった。

「望み通りに私はチーフになりました。でも、部長は何も教えてくれなかった。いくら話をそちらに持ってゆこうとしても、はぐらかすばかり。その頃です、久田さんがあれこれと私に目をかけてくれるようになったのは、そして、よくわかりました。久田さんの今のポストは、久田さん自身が獲得してきたもの。月島部長のバックアップがあったとしても微々たるものので、だいいち、久田さんが月島部長の愛人だなんて噂、こうして久田さんと親しくなってみると、まるでばかげてますよ。久田さんの相手の男性は、少くとも月島部長のうつわじゃありませんもの」

友美は若かった。

男と女の関係は、うつわの大小ではなく、それぞれが持っているプラス面とマイナス面の、微妙な相性の組みあわせによる。

月島の加虐性と順子の自虐性、これが八年間つづいてきた最大の理由かもしれなかった。もはや愛情とはいわない。愛情ではなくとも、ひと組の男と女をつなぎとめているものがある。

「村田さん、約束しましょう」

順子はほほえみかける。

「あなたと月島部長のことは、私はいっさい口外しない。あなたも、ぜったいにそれらしいほのめかしもしないでほしいの、たとえ、酔った席であろうとも、会社のひと以外にであっても。噂というのは、どこから流れてくるかわからない怖ろしいものだから。部長だけでなく、あなたの命とりになる可能性もあるのよ」

「はい、約束します」

月島をどうしても取締役につかせたい一念だけが働いていた。


数日後の夜、順子の部屋に月島から電話がかかってきた。酔っている声だった。

「きみは村田友美とわたしの仲を知っていたのだろう？　知っていて、彼女をそれとなくそそのかして、わたしから引きはなしたのだろう？　きみはな、本当に怖ろしい女だ。八年間もわたしにまとわりついて、わたしに復讐しようとしている……きみは、じつに優秀な人事部員だよ、まったく男顔負けの人事部・部長補佐だ……」

月島ののしりは長々とつづいた。

いつものことだった。

女との関係がもつれて、その処理を順子にゆだねた場合でさえ、彼はいつも嫌味《いやみ》を言ってくる。そんなふうに駄々をこねて、順子を困らせたいのだった。順子がどこまで根気よくそののしりに耐えていられるか、どこかで試しているようでもあった。

受話器を耳にあてながら、順子は苦笑する。

「はい、わかっています……ええ、私は怖ろしいことを考えている女で……そう、部長のおっしゃる通りです……部長、もうそろそろお帰りになったほうが、あすにひびきますよ……はい、そうです、大丈夫です……営業部のMさんですね、調べておきましょう……信用してください……」

会社での人事《パーソナル》の仕事にくらべれば、月島の個人的《パーソナル》ないざこざなど、さほどのことではなかった。

八年前は、それが逆転していたはずなのに、現在の順子にはもはや混然一体《こんぜんいったい》となっていた。人事部の仕事に打ちこんだおかげで、月島への愛憎にのたうつ時期を、のりこえられたのだった。

ピアノ・コンチェルト

私は自分の目を疑いました。

まさか、という驚きと、やっぱり、という安堵《あんど》の気持が入りまじったまま、私は路上に立ちすくみ、古ぼけたその看板をしばらく眺めつづけたのです。

店の出入り口の横に置かれたスタンド式の背の低い電気看板。夜になるとその内側にあかりがともされ、店の名前を浮かびあがらせる、あのありふれた看板です。

白地に黒く「シンフォニー」と走り書きしたような書体は、記憶にある文字とあざやかに重なりあってきます。

札幌のうららかな初夏の午後の陽《ひ》ざしをあびて、その古い看板は、いっそうホコリっぽく、うらさびれて見えました。

でも、本当のあの「シンフォニー」なのでしょうか。どこにでもありがちな店名です。また、かつてと同じ場所、同じ店名を使ってはいても、経営者が変り、店の中の雰囲気がまったく違ってしまっていることもあります。

もう長いあいだ、私はこの近辺に足をのばそうとはしませんでした。正直いって避けていたのです。そして心の中では「シンフォニー」がなくなってしまうのを願っていました。私の思い出の中から消えてほしかったのです。

それなのに、さわやかな陽ざしに誘われ、気がついてみると、街のはずれのこの界隈《かいわい》に、いつのまにかきてしまっていた……。

迷いました。学生の頃《ころ》に通いつめた喫茶店が、はたして目前の「シンフォニー」と同一の店なのか――けれど、複雑な感情が交錯《こうさく》しているにもかかわらず、私の足は看板へ近づき、その手は不透明な紺色のガラスのドアを押していたのです。

地下へ降りてゆく板張りの汚れた階段、降りたところにあるもう一枚のガラスのドア、何もかも昔と変りがありません。

階段と店内を仕切るドアにふれた瞬間、私の耳は直感しました。いえ、掌《てのひら》だったのかもしれません。店の中いっぱいに響きわたるバロック音楽の旋律が、ガラスのドアの表面まで、こまかくふるわせていたからです。あの当時から、ここはクラシック音楽だけを聴かせる店でした。

バッハでしょうか、私は身体の奥底にまで流れこんでくる大音響の中、ドアの内側に入ったとたん、そこが以前のままに残されているのを知りました。

仄暗《ほのぐら》い照明、いくつものボックス席、白くて四角いテーブル、壁面にかけられている数枚の絵、そして書きものをしたり、本を読んだり、あるいは腕組みをして顔を伏せている客は、かつてと同様にひとりきりの時間にひたっています。ふたりづれの客は見当りません。「私の席」は幸運にもあいていました。ここにくるたびに、私が好んですわった席はドア寄りの、わりと照明の当る場所で、読書にはちょうどよい明るさにめぐまれています。他のボックス席は暗すぎて、でも、もちろん、そうしたことなど気にせずに本をひろげる人は少なくありません。

愛想のない無表情な若い女性が注文をききにやってきました。コーヒーを頼むと返事もせずに立ち去ってゆきます。こういうタイプの女性ばかり、この店では雇《やと》っていたものです。テーブルのすみには、曲をリクエストするための紙片とボールペンが置かれ、それを目にした私は、ふいに心が動きました。あの曲は、もうずいぶんと聴いていないのです。じかに聴くまでもなく、何かあるたびに、あの曲は私の耳によみがえり、最初から最後まで一箇所のつまずきもなく演奏されます。そのくらい、くりかえし聴いた曲でした。

コーヒーが運ばれてきました。私が曲名を書いた紙片を手わたすと、彼女はぶっきら棒に答えたのです。「次に、これ、かかります」「リクエストですか」「ええ」

見知らぬその相手に、私はにわかに親しみをいだきました。どの方かしら……仄暗い店内に目をこらしてみたのです。客は男性ばかり五名でした。けれど、顔も年齢もはっきりとはわかりません。照明が暗すぎるのです。また、こちらに背中を見せている人やテーブルにかがみこんで顔を確かめられない方もいます。

私はあきらめ、苦味のきいた、この店特有のコーヒーをなつかしく楽しむことにしたのです。

やがてバロック音楽は終り、あの曲が、あの、胸のあやしい不安とときめきを表現したような旋律が低く、狂おしい予感をともなって流れだしました。

そのときです。テーブルにかがみこんでいた男性が、待っていたとばかりに上体を立て、椅子の背にもたれかかったのです。

私は息をのみました。彼です。彼にまちがいありません。

東京から北海道大学に入学した学生の彼は、あの頃、四年生、私は私立女子大学の一年……知りあったのは、この店でした。たがいに常連客だったのです。私たちは恋におちました。彼は私のカラダを抱いたはじめての男性でした。私は彼を信じきっていました。結婚したいと一途《いちず》に思いつめ、ひたむきに、彼だけを見つめていたのです。

当時の彼のお気に入りが、この曲、モーツァルトの「ピアノ・コンチェルト20番」であり、それはまたその頃の私の心をうつし取ったような旋律でもあり、彼に会えない日は何回となく自分の部屋でこの曲を聴きました。「ニ短調K466」

大学を卒業した彼は東京にもどり就職したのですが、私は彼が迎えにきてくれることを疑いませんでした。

けれど私が大学三年の秋、彼は他の女性と結婚してしまったのです。あとから人づてに聞きました。彼には長く交際していた恋人がいて、私とのことは軽い遊びにすぎなかったのだと。違う、と私は思いました。彼は私を愛していた。別の女性がいようとも、その心は私だけを思っていたはずなのです。そして、結婚にしても、きっと彼は仕方なくそうせざるをえない、なんらかの事情があったのでしょう……。

その想像は当りました。なぜなら、彼はこの街に、この店にもどってきたのですから。私は彼を凝視《ぎょうし》しました。私に気がついてくれるようにと必死で祈りながら見つめたのです。かかっているモーツァルトの曲は、昔も今も変らない私の気持そのものでした。切実で、まぎれもなく清らかで、そして激しくほとばしる愛とその不安――。

あっというまに曲は終了しました。そのように私は感じたのです。私を無視してレジ台へむかっていくと、どうしたことでしょう、彼は立ちあがったのです。私を無視してレジ台へむかってゆくではありませんか。そう、無視です。私と視線があったのに知らないふうを装《よそお》いました。

店をでていった彼を追って、私も支払いをすませると、小走りに階段をかけのぼったのです。見失ってはなりません。

路上にでると、足早に歩いてゆく彼のうしろ姿が目にとまりました。私は走りました。走りながら、彼の苗字《みょうじ》を呼んだのです。

彼は振り返りました。立ちどまり、私が近づくのを待ってくれたのです。大きなブティックのショーウィンドーの前にたたずみ、彼は淡く口もとをほつらせ、ようやく、ほほえみ返してくれました。苦笑のようにも見えました。

彼のそばに駈《か》け寄り、私は肩で息をしながら、すねるように言ったのです。「ひどいわ、知らんぷりして」

彼はとまどった表情、でも何も言いません。そうでした。彼は都合の悪い場合は、いつも慎重に口をつぐんでしまうのです。

「私に会いにきてくれたのね」

彼は困惑の顔になりました。どう返答してよいのか、バツの悪い顔つきでごまかそうとしているのです。

「あのう、人違いではありませんか」

「逃げるつもりなの」

私は彼の腕をつかみ、いたずらっぽく振りまわしました。私の身体も左右に揺らし……ショーウィンドーに私たちの姿がうつっていて……思わず私は口の中で小さく叫んでしまったのです。

信じられません。

私はもはや二十代ではなく、くたびれかかった中年女だったのです。

一方の彼はというと、白のTシャツに白の夏用のブルゾン、スニーカー、そして、若々しい肌の色つやは、まさしく青年でした。

「――さんですよね」

私はおそるおそる苗字を確かめました。相手は素直にうなずきます。次に彼のフルネームを口にしてみました。

「ああ、それはぼくの父です」

愕然《がくぜん》としました。

「あなたのお父さま……」

「はい。ぼくはこの春から父と同じく東京から北大に入学して、父が思い出話をしてくれた所をあちこちまわったりしているのです」

「先ほどのモーツァルトの曲は、あなたのリクエスト？」

「ええ、父が大好きなもので」

私はつかのまの期待に胸を躍《おど》らせました。

「その曲にまつわる昔のことは、おっしゃっていました？」

「いいえ、別に……そういえば母も大好きな曲だと言っていたような……」

私は最後の望みをこめて自分のフルネームを告げてみました。でも、相手は不思議そうに見返しただけでした。

私はよろよろと彼のそばからはなれました。初夏のうららかな陽ざしにつられて部屋をでてきたのがまちがいでした。くるべきではなかったのです。

学生時代から住んでいる、あのアパートのひとり暮らしの部屋で、このまま朽《く》ちてゆこうと考えた二十数年前を、なぜ私は忘れてしまったのでしょう。モーツァルトのおびただしい古いレコードに囲まれながら。

この作品は一九九二年九月講談社より刊行され、一九九五年十一月講談社文庫に収録されたものです。

プワゾン

藤堂《とうどう》志津子《しづこ》

平成18年8月5日　初版発行

発行者——見城徹

発行所——株式会社幻冬舎

〒151-0051東京都渋谷区千駄ヶ谷4-9-7

電話　03(5411)6222(営業)

　　　03(5411)6211(編集)

振替00120-8-767643

印刷・製本—中央精版印刷株式会社

装丁者——高橋雅之

幻冬舎文庫

ISBN4-344-40831-4　C0193　　と-1-12